100% chemie

Ander werk van Doeschka Meijsing

De hanen en andere verhalen (1974)
Robinson (roman, 1976)
De kat achterna (roman, 1977)
Tijger, tijger! (roman, 1980) Multatuliprijs 1981
Utopia of *De geschiedenissen van Thomas*
(roman, 1982)
Beer en Jager (roman, 1987)
De beproeving (roman, 1990)
Vuur en zijde (roman, 1992)
Beste vriend (verhalen, 1994)
De weg naar Caviano (roman, 1997)
De tweede man (roman, 2000)
Moord & Doodslag (roman, 2005)
met Geerten Meijsing
De eerste jaren (roman, 2007)
Over de liefde (roman, 2008)
AKO Literatuurprijs 2008,
F. Bordewijk-prijs 2008,
Opzij Literatuurprijs 2008

Doeschka Meijsing

100% chemie

Een familieverhaal

AMSTERDAM · ANTWERPEN
EM. QUERIDO'S UITGEVERIJ BV
2012

Eerste, tweede en derde druk, 2002;
vierde en vijfde druk, 2003;
zesde druk, 2009; zevende druk, 2012

Omslag Anneke Germers
Auteursfoto Leo van der Noort

ISBN 978 90 214 4280 8 / NUR 301
www.querido.nl

Inhoud

Verhalen 9
Auto's 36
Schoenen 62
Stoffen 85
Wol 112
Veren 134

Verhalen

Wie in dit verhaal de hoofdrol speelt, mijn overgrootmoeder Maria Blumenträger of de arme Pfiffikus is niet helemaal duidelijk, maar het feit dat ze beiden in belangrijke mate bijdragen aan het verloop staat voor iedereen binnen de familie buiten kijf. Meestal wordt aan de arme Pfiffikus weinig aandacht besteed, maar dat komt doordat hij in de jaren dat zijn bestaan van belang werd geacht verschillende gedaantes aannam, zonder afbreuk te doen aan zijn rol in het geheel.

Pas laat in mijn leven hoorde ik voor het eerst van de arme Pfiffikus, en zijn lot was zo nietszeggend en treurig dat ik met de mond vol tanden stond. Toen ik later mijn moeder op tijden waarin ze goedgehumeurd was nog eens vroeg naar het preciéze verhaal van de arme Pfiffikus antwoordde ze dat ze nooit van een arme Pfiffikus had gehoord, dat ik het verhaal uit mijn duim zoog, dat het nu werkelijk het toppunt was om, bij alle ellende die de familie had moeten doorstaan, maar één enkele gedachte aan de arme Pfiffikus te wijden, die in werkelijkheid niet eens had beseft welke partij hij in het hele zangstuk meefloot.

Over haar grootmoeder Maria Blumenträger wist mijn moeder niet meer te melden dan dat ze de eerste vijftien jaar van haar huwelijk met Carl Bory, hoofdconducteur op de grote lijnen, een zelfstandige vrouw was, die Am Rossmarkt in Aschaffenburg een florerend hoedenatelier dreef, waar haar creaties bij de gegoede bur-

9

gerij van Aschaffenburg, Alzenau en zelfs Frankfort gretig aftrek vonden. Vroeg je mijn moeder dóór over waar Maria Blumenträger vandaan kwam, uit welke landstreek en uit welke verhoudingen, dan wist ze nog met moeite uit haar diepste binnenste naar boven te halen dat Maria een broer had gehad die in Amerika fortuin had gemaakt en die Maria's dochter Bettina, mijn grootmoeder, naar Amerika had willen laten komen om haar opvoeding ter hand te nemen. In plaats van Bettina had Maria zelf per stoomschip de overtocht gemaakt en toen ze na enkele maanden weer terug was op de Rossmarkt had ze de woorden gesproken: 'Dat is geen land voor mijn Bettina.'

Zelf wist ik uit zeer betrouwbare bron te melden dat Maria Blumenträger, toen Bettina in barensnood verkeerde, als oude in het zwart gehulde vrouw aan de deur van het huis in Frankfort klopte om moederlijke bijstand en wijze raad te geven, waarop de geboorte van mijn moeders broertje, tot op dat moment een dubbeltje op zijn kant, verliep volgens de regels van de kunst.

'Hoe kom je daar nu bij?' vroeg mijn moeder verontwaardigd, 'je verzint weer eens van alles.'

Waarop ik een feestrede van mijn grootvader uit 1972 kon overleggen, waarin hij in een trotse vlaag van creativiteit voor zijn zoon de versregels had geschreven: 'Toen werd er plotseling aan de deur gebeld,/ wij stonden allemaal versteld./ Want daar stond, teer en broos,/ de oude moeder uit Wasserloos.'

'O ja,' zei mijn moeder, 'dat is waar ook, mijn broer is in een emmer geboren. Mutti moest volgens de aanwijzingen van haar moeder op een emmer gaan zitten, dan kwam het kind vanzelf.'

Mijn moeder wist veel meer dan ze voorgaf te weten, maar je moest de juiste gang naar de voorraad vinden en meestal zat haar leiding volgepropt met het dagelijkse gerommel en gestommel waarmee zij en mijn eveneens tweeëntachtigjarige vader de steeds zwaarder wordende strijd aanbonden.

Mijn moeders broer, in zijn werkzame leven een gevreesd en bewonderd lid van de Sociaal Economische Raad, werd dus in een emmer geboren en Maria Blumenträger was na de sluiting van het hoedenatelier in rook opgelost. Met die wetenschap moest ik het doen. Wasserloos ligt aan de uiterste westelijke rand van de Spessart, aan de voet van de Hahnenkammberg, een kilometer of zestig van Frankfort, waar Maria Blumenträger haar dochter op een emmer kwam zetten. In 1922 een ingewikkeld reisje, vooral omdat de voormalig hoofdconducteur op de grote lijnen, Carl Bory, niet voor behoorlijk vervoer zorgde en de gele trams met adelaar en de zwarte letters 'Stadt Frankfurt' erop slechts stapvoets de wereldstad doorkruisten. Dat kreeg ze ervan dat ze Carl in haar goede tijd in Michelau naar de achterkant van het huis had verbannen. Mijn overgrootouders leefden gescheiden van tafel en bed.

Over waar de Blumenträgers zijn gebleven doet niemand van de familie een mond open. Van de Bory's hebben achternichten van mij wat stambomen geprobeerd te achterhalen, waaruit naar voren kwam dat het van oorsprong waarschijnlijk Franse Basken waren, die met hun truffels via de Elzas naar het noordoosten trokken om de kerkjes en bisschoppelijke paleizen in het zuidelijke deel van Duitsland van het kunstige stucwerk te voorzien waarmee de Barok pronkte. Het schijnt zelfs dat een van de achternichten, die in Portugal woont, toen Frankrijk de tweehonderdste verjaardag van de Revolutie vierde een jaar lang in Frankrijk op zoek is geweest naar mogelijke Bory's van adellijke komaf, of Bory's die in de Franse Revolutie een heldhaftige rol hadden gespeeld, teneinde een plaats te kunnen bemachtigen op de tribunes van de Champs Elysées. Ze trof alleen maar vissers en stukadoors aan, 'kunstenaars' zoals ze ze hardnekkig bleef noemen, en keerde onverrichter zake naar Portugal terug.

Over de Blumenträgers geen woord.

Toch was mijn overgrootmoeder Maria Blumenträger een vrouw die de wereld regeerde, al reikte die slechts van Frankfort tot Bamberg. Ze wist te verdragen dat Carl Bory haar in Michelau zes keer onder de rode 'loempenbedden' besteeg, en alle zes keren mikte hij doeltreffend. Nadat de twee jongetjes als gevolg van een gemene griep aan 'neurasthenie' waren bezweken, bleef ze achter met vier dochtertjes die tegen een stootje konden. Carl had zijn plicht gedaan en kon verhuizen naar het achterste gedeelte van 'het huis met de veertien heiligen' in Michelau, naar een kamer die uitkeek op de mestvaalt en op de korenvelden van het Steigerwald. Daar kon hij in het gezelschap van de arme Pfiffikus zijn dagen slijten, starend in het vuur en dromend van de grote lijn naar Constantinopel, of van de oorlog van 1870, toen hij als jongen van veertien de soldaten had toegejuicht met een hartstocht die hij voor het eerst en voor het laatst binnen zijn ribben had voelen opspringen.

'Der starb euch sehr gelegen,' was het enige wat hij zei als een van zijn dochters hem zijn dagelijkse noedelsoep bracht, en zijn ogen liepen tot de rand vol water van verdriet omdat het huwelijk zijn revolutionair elan had gebroken, of omdat de noedelsoep weer te dun was. Een van zijn dochters had aan het dagelijks opdienen van de soep aan haar vader zulke dierbare herinneringen overgehouden dat ze later, tijdens onze logeerpartij bij haar, hele dagen in de keuken stond en kostelijke geuren produceerde om tenslotte een dampende pan witte, droge noedels op tafel te toveren.

Meer sporen heeft de voormalig hoofdconducteur Carl Bory met zijn natte, vriendelijke ogen niet nagelaten in de familie, en zijn naam stierf uit in Duitsland en was alleen nog terug te vinden in de vlakke gehuchten van de Camargue, waarover Vincent van Gogh schreef dat het hem leek alsof hij zich door de landschappen van Ruysdael bewoog, met de kromme, zwarte eiken die luwte boden aan de paar boerderijen aan de rand van het moeras.

De vroegere Bory's hadden in grove vormen schutspatronen voor alle mogelijke ongelukken en ziektes aan de gevel gebeeldhouwd. 'Het huis met de veertien heiligen' in Michelau werd bestierd door Maria Blumenträger. Eerst alleen op zondag, want door de week hield ze het meetlint bij de prestaties van de meisjes van het hoedenatelier aan de Rossmarkt in Aschaffenburg, maar na het incident met haar tweede dochter Bettina doekte ze het atelier op en kwam ze alleen tijdens de jaarmarkt nog naar de stad, waar ze zich laatdunkend uitliet over de laatste hoedenmode. De stad groeide snel in de nieuwe eeuw, het rook er naar vers hout en verf, in het hoedenatelier werd een lampenwinkel gevestigd.

De reden voor het opdoeken van het hoedenatelier zou de overlevering ingaan als 'die geschiedenis met Bettina'.

'Die geschiedenis met Bettina' werd ons voorgehouden als schrikbeeld van wat er kon gebeuren als kinderen niet gehoorzaamden. Mijn moeder had als dertienjarige immigrante uit Duitsland nog wel meer opvoedkundige meesterwerkjes in haar bagage gehad, bijvoorbeeld *Der Struwwelpeter*, waar wij uit leerden met groot doorzettingsvermogen onze havermout te weigeren: 'Ich esse meine Suppe nicht, nein, meine Suppe ess' ich nicht.' Zelfs het vers gedolven grafje voor de held Suppen-Kaspar, die aan de hongerdood ten onder ging, brak ons verzet niet.

Aan 'die geschiedenis met Bettina' bleef altijd iets raadselachtigs kleven. Vroeg ik mijn moeder ernaar, dan wist ze er niets over te melden, zoals ze haar eigen voorgeschiedenis ook alleen maar kende via herinnerde steekwoorden en gevleugelde gezegdes, die op onverwachte momenten bij haar opborrelden als geisers in een onschuldig landschap, maar die verder geen context of inhoud kregen. Als meisje had ze haar nieuwe bestaan met zoveel vitaliteit opgepakt dat het verleden met een klap tot zwijgen was gebracht en tenslotte ophield op een andere manier te bestaan dan via oprispingen, plotselinge idiomatische eigenaardigheden en vast terugkerende verzuchtingen: 'Mensch, Max, Meier was kosten die Eier,' 'Ach, hat er gesagt und ist er gestorben,' of 'die geschiedenis met Bettina'.

Ik vroeg er mijn grootvader naar. Hij sleep zijn potloden met een scherp mesje, keurde de punten tegen 'de Hollandse luchten van Ruysdael', zoals hij niet naliet op te merken en zei: 'Als de arme Pfiffi nog had geleefd, had jullie grootmoeder niet zoveel verdriet gehad.'

Ik zag op het dikke, doorzichtige papier onder zijn handen het tuinhuis ontstaan, zag hoe hij met een dik potlood berekeningen maakte in de kantlijn, sterke zwarte getallen, die niets anders meedeelden dan hun bestaan. Hij rook naar scheerzeep van 'De Vergulde Hand'. Hij noemde het tuinhuis 'het tuinhuis'. Maar met 'die geschiedenis met Bettina' kwam ik niet verder.

Een tipje van de sluier werd opgelicht toen een van mijn achternichten, de zuster van de achternicht uit Portugal die heel Frankrijk had afgeschuimd naar adellijke stukadoors, met Kerstmis aan mijn moeder schreef dat ze een *reizendes* jong katje in huis had gehaald, dat ze Schlomo had gedoopt. Mijn moeder las de kerstkaart hardop voor en mijn vader zei: 'Schlomo? Was dat niet iets met "die geschiedenis met Bettina"?'

'Waarom ze die kat Schlomo noemt is me een raadsel,' antwoordde mijn moeder en ze hing de kaart aan een waslijntje dat door de kamer gespannen was, een gewoonte waar ze zich haar leven lang tegen had verzet als zijnde burgerlijk, wat synoniem was voor 'typisch Nederlands', maar waar ze in haar oude, zeer strijdbare jaren met mijn vader voor was gezwicht.

Mijn achternicht had haar katje Schlomo gedoopt en daarmee werd het oude verhaal van Bettina, althans in onze ogen, niet in die van mijn moeder, nieuw leven ingeblazen. Schlomo, Bettina, Pfiffikus, er begon zich een treurig verhaal te ontwikkelen, waar de berekeningen van mijn grootvader geen vat op hadden. Er was iets in de kantlijn geschreven dat om ontcijfering riep.

'Jullie zitten maar wat te verzinnen!' riep mijn vader opkijkend vanuit zijn boek, toen ik vergeefs mijn moeder ondervroeg, 'laat je moeder met rust.'

Met geen stok was hij ertoe te bewegen een ander boek te lezen dan de *Odyssee*, in het Grieks, waarbij ik hem nooit had kunnen betrappen op enige belangstelling voor de inhoud ervan. Hij was geïnteresseerd in de letters, dat dun getekende abracadabra waarmee hij de kloof van de tijd probeerde te dichten die tussen hem en zijn schoolbankjaren gaapte, een donker gat waarin allerlei dingen tot leven kwamen, groeiden en ziek werden die hij nooit had gewild. Zijn laatste droom bestond uit het Oudgriekse alfabet en uit de afdaling van mijn moeder op de stoeltjeslift langs de trapleuning, elke ochtend dat hij haar beneden in de hal opwachtte met thee en beschuit. Zij waren met z'n tweeën.

Laat ik het reconstrueren. Er wordt je niets verteld. In de loop van de jaren vang je namen op, plaatsen, landschappen. Je probeert de namen een pak aan te trekken of een jurk, je zoekt de landschappen in de atlas. Waarom wordt er altijd van alles verzwegen? Waarom is het verleden een landschap waar het verboden toegang is? Ze laten je er niet in toe omdat ze het gebied voor zichzelf willen houden, het zijn valse douaniers. Nee, het zijn immigranten die de deur achter zich dicht hebben gedaan.

Voordat de bronzen klokken van de Domkirche het angelus aankondigden en de lichte klokken van de Sandkirche en de Christuskirche er met elkaar kleppend een schertspartij van konden maken, had Maria Blumenträger de grote schaar van de riem van haar rok gehaald en de centimeter van haar hals laten glijden. Ze had voor de spiegel de kammen opnieuw in haar zwarte haar gestoken en op haar lippen gebeten. De meisjes van het atelier bleven zuchtend van opluchting achter en gooiden linten naar elkaar. Rollen gaas, katoen en zijde leunden tegen de muur en over de berg veren lag een enorme voile. Baleinen, patronen en kunstfruit vulden de tafels en de zon van twaalf uur dwarrelde in stofbanen tussen de naaitafels. Maria Blumenträger liep kordaat de Rossmarkt af, sloeg linksaf de Badergasse in, kruiste de Herstallstrasse en bereikte de Treibgasse, waar ze zich in de stoffenwinkel van Schlomo Nussbaumer op een rieten krukje liet zakken.

'Ach Schlomo,' zei ze, 'altijd die klokken.'

Mijn overgrootmoeder was er niet de vrouw naar om te klagen. Volgens mijn moeder, die maar een keer een glimp van haar had opgevangen, toen haar broertje in een emmer plonsde, had ze koolzwarte ogen en een blik die mannen en kinderen deed beven. Zij bedisselde één dag per week het huis in Michelau, dan reisde ze af naar Aschaffenburg, een lange dagreis waarop ze soms een van haar dochtertjes meenam, de even heerszuchtige Lina, die bij afwezigheid van Maria het huishouden in Michelau draaiende hield, de kleine Elvira die de mensen bekoorde, de gekke, wilde Rosa die, als je haar even uit het oog verloor, van alles scheurde en die krankzinnig zou worden in het bombardement van de geallieerden op Berlijn, en Bettina, Maria's tweede, zachtmoedige dochter.

Het was donker in de winkel van Schlomo Nussbaumer. Het zonlicht drong niet door in de donkere gangetjes die werden gevormd door balen textiel. De winkel was een labyrint, waar alleen Schlomo Nussbaumer de weg in kende. Soms verdween hij in een van de gangen en dan was er nooit een Schlomo Nussbaumer geweest, soms dook hij zo onverwacht te voorschijn dat hij je de stuipen op het lijf joeg. Het rook er naar zoet katoen, naar de opwinding van zijde en sits, naar verboden dingen.

'De klokken zijn gemaakt om te luiden,' zei Schlomo Nussbaumer voorzichtig. De helft van zijn leven had hij als vreemdeling gezwegen, de andere helft zou hij niet uit brutaliteit op het spel zetten. Alles was nieuw, de dertig jaar van zijn staatsburgerschap, maar dat wilde niet zeggen dat alles veilig was. Hij had geen enkele optimistische gedachte over voor de nieuwe eeuw. Kwam wat kwam, behoedzaamheid was geboden, ook tegenover Maria Blumenträger, die wijdbeens neerzat, haar brede schoot gebruikend voor haar peperkoek en koffie.

'Alle meisjes Bory hebben een wespentaille en God welgevallige heupen,' zei mijn oom die in een emmer was geboren eens tegen ons tijdens een familiedansfeest. Wij waren in het begin van de puberteit en keken gekwetst of ongeïnteresseerd de andere kant op. Wij wilden geen familie en zeker niet een die uit Duitsland kwam, waar het Wirtschaftswunder veel dikkere heupen kweekte dan de mode van Twiggy voorschreef. Ik stond nog niet stil bij Maria Blumenträger, die onverzettelijk wachtte tot de klokken tot bedaren zouden komen.

Schlomo wierp haar slinkse blikken toe en liet zijn vingers knakken. Misschien droomde hij nog hevig van deze brede, korte vrouw, die al jaren stoffen voor haar hoeden bij hem kocht. Hij zou nooit de eerste keer vergeten dat ze bij hem uit het zonlicht binnenstapte, de stoffen tussen duim en wijsvinger nam alsof ze de katoenplantages in bezit had, evenals de zijderupsenkwekerijen in China, en stelde: 'Schlomo, zur Sache, sie Schatz.' Uitdagend maar koel, hooghartig maar flirtend.

Hij had zich voorovergebogen om zijn glimlach te onderdrukken en gevraagd hoeveel rabat ze wilde. Maar Maria Blumenträger, die in de streek als een uitheemse schone gold en in Frankfort in de leer was geweest, wilde van korting niets weten. Ze was van plan een hoedenatelier op te zetten in Aschaffenburg en hij, Schlomo Nussbaumer, zou haar leverancier van stoffen worden. Het was een zakelijke overeenkomst geweest, maar in de eerste jaren was het ook iets anders geweest, waar men niet over sprak.

'Het wordt me te veel,' zei Maria Blumenträger dit keer, 'Lina komt op een leeftijd dat ze leiding nodig heeft. Het wordt tijd dat ik thuis de teugels wat aanhaal, de komende tijd. Van die klokken heb ik ook genoeg.'

Ze stond op en ving de kruimels van de peperkoek op in de palm van haar hand. Ze keek over haar schouder naar buiten, naar het zonlicht.

'En Carl?' vroeg Schlomo, terwijl hij naar haar hals keek, waarboven het zwarte haar was opgestoken.

'Carl gaat naar achteren,' zei ze, vermoeid bij de gedachte aan haar echtgenoot, voor wie ze indertijd van huis was weggelopen – de arme Pfiffikus kan hem daar gezelschap houden.'

Schlomo haalde zijn schouders op en zuchtte. Hij had het al gedacht, de nieuwe eeuw zou niets goeds brengen. Hij keek haar tegen de zon in na, de Treibgasse uit.

Toen Maria bij het atelier terugkwam, wisten de meisjes niet waar de kleine Bettina was gebleven. Zojuist had ze nog lief zitten spelen met knopen en maasballen. Ze hadden haar wat van hun middageten gegeven, ze was niemand tot last geweest.

'Hier,' zeiden de meisjes en ze hielden de glazen maasballen als bewijs omhoog in de lucht, zodat het zonlicht erop stuiterde.

'Als ik ook niet overal zelf op let,' zei Maria Blumenträger en liep het atelier uit.

Binnen een wijdvertakt familieverhaal staan alle pijlen in verraderlijke richtingen. Noem één ding, één voorwerp en je holt ademloos achter een vervolgverhaal aan dat pas aan het eind een zijweg blijkt te zijn, of een doodlopende steeg. Familiegeschiedenissen zijn labyrinten, vooral wanneer je voorgangers je moedwillig de doolhof in sturen, omdat zijzelf er zo vaak de weg zijn kwijtgeraakt.

Neem de maasballen die de meisjes uit het atelier hoog in de zon hielden. Ze schitterden in hun dunne vingers. Het licht brak erin en ketste ertegen, het waren juweeltjes van onschuld die omhoog werden gehouden, duizendkleurige alibi's voor de onoplettendheid van de meisjes. Waren het geen kunststukjes, de ronde glazen vormen waarin tientallen kleine bloemen hun kleuren lieten bloeien, de gepolijste eieren met de kunstige pracht binnenin?

Jaren nadat op het lome uur van de middag 'die geschiedenis met Bettina' begon, zag mijn moeder zo'n wonderbaarlijk bloemenei liggen onder de toonbank van een garen- en bandwinkel in Frankfort. Ze was toen nog zo klein dat ze niet over de toonbank heen kon kijken, maar met gemak eronder. Naast de bruin geveterde schoenen van de juffrouw die ergens in de hoogte op een ellestok de biesband afmat, lag stil en verlokkelijk een glasgeblazen maasbal, waarin roze, gele en blauwe anemonen haar toefluisterden: neem ons, neem ons. Boven haar hoofd hoorde ze haar moeder en de juffrouw praten over een mislukte poets in München, waardoor een man genaamd Hitler in de gevangenis was beland, en ze vroeg zich af hoe een poetslap iemand bij de politie kon aangeven, terwijl intussen het bloemenei wenkte en lokte: laat mij niet hier naast de bruine veterschoenen liggen, ik heb een beter lot verdiend, ik zal duizend dingen voor je toveren, ik zal al je wensen vervullen, pak mij op en neem mij mee.

Voordat ze wist wat ze deed was het ei verhuisd van de plaats naast de veterschoenen naar haar zak, onder de blauwfluwelen klep van haar jasje, en de juffrouw wikkelde razendsnel de afgemeten biesband om haar gestrekte hand en deed hem in een papieren zakje en wenste haar moeder een echt goedendag en gaf het *Püppchen*, dat was zijzelf, een dievegge, een kneepje in de wang en toen stonden ze buiten, haar moeder en zij, het glazen ei als een fonkelende belofte achter de blauwfluwelen klep van haar jaszak en haar hoofd vol prikkeldraad, waarachter zij naast een berg poetslappen werd vastgehouden.

Bettina was weg en bleef weg, en hoe Maria Blumenträger zichzelf ook binnen een paar minuten de schuld gaf van alle misstappen die ze in haar leven had begaan, niemand kon zeggen dat het kind op Schlomo Nussbaumer leek, het was een echt Blumenträgermeisje, misschien was wel níét iets haar schuld, misschien had ze zich misrekend. Hoe dan ook, ze kon eenvoudig-weg Carl en Pfiffikus niet meer verdragen met hun zwetsende commentaar, een mens had tegenwoordig stalen zenuwen nodig, had ze niet uit alle macht het geloof van haar ouders aangehangen? Wat wilden die klokken dan van haar met hun eeuwige gebeier? Wat was dat trouwens voor een geloof als het je kind niet terugbracht? Bettina was niet bij de bakker, niet bij het vrouwtje dat vogelzaadjes te koop aanbood, niet bij de schoenmaker die, op zijn krukje gezeten, vrolijk spijkers in de laarzen joeg en 'Ulla, Ulla, Uppa, Uppa' zong.

De klokken konden Bettina al niet meer bereiken. Aan de rand van het bos was ze van de schillenkar afgesprongen en nu hinkelde ze van lichtvlek naar lichtvlek op het pad dat haar steeds verder het bos in leidde. Er hingen doodstille wezens in de lucht, hun blauwe vleugels zoemden. Een luid vogeltje wees haar de weg. Ze stapte en sprong voorbij het paardenweitje, voorbij de watermolen en het heksenhuisje, zonder besef van de steeds dichter wordende dreiging van de hoge stammen die haar maanden: tot hier, tot hier en niet verder. Ze trapte links en rechts op de lichtvlekken die spaarzamer werden, er was geen eind aan haar spel.

In een opwelling, die bij kinderen geen aanleiding nodig heeft, hurkte ze neer bij een platte steen ter grootte van haar *Struwwelpeter*. Ze dacht aan het gestorven broertje in zijn spijlenbed. Ze had zijn rood-witte trommel naast zijn hoofd op het kussen gelegd, opdat ze ook daarginds konden horen dat hij eraan kwam, maar haar moeder had de trommel weggehaald en gezegd: 'Ulli trommelt niet meer.'

Onder de steen kropen wormen en mieren rond, duizendpoten en pissebedden als rouwkoetsen. De grond was van zwarte modder. Er was geen licht waar haar broertje nu lag. Mutti, hoe groot is de nieuwe eeuw? Groter dan het Steigerwald, groter dan de Spessart? Hoeveel licht is er? Zoveel licht als alle sterren en zoveel donker als de nacht? Niemand had iets gezegd van modder en wormen onder de steen, hoe het er krioelde. Ze liet de platte kei weer uit haar handen vallen en volgde, langzamer nu, het vogeltje dieper het bos in.

Het had haar moeder nog actiever gemaakt dat de jongen was gestorven. Maria Blumenträger had met vaste hand zwarte linten in het haar van haar dochters gebonden, de veters van hun rijglaarsjes zo vast gestrikt dat ze niet per ongeluk uit de knoop konden raken. Ze had met koolzwarte blik haar dochters hun vragen laten inslikken en hun verboden te huilen. Alleen Carl mocht huilen omdat het water hem altijd al in de ogen stond, en de arme Pfiffikus floot de eerste maten van de Vijfde van Beethoven en troostte hem met de woorden 'Ulli komt en trommelt'. Maar Ulli kwam niet en trommelde niet en haar moeder vloog nog bedrijviger *auf 'ne Sprung* naar Aschaffenburg en zette Bettina op zondagmiddag hop-hop op het varken in de carrousel, terwijl de zwanenwagen met de rode vleugels naast haar leeg meedraaide. Sta daar niet te dromen, *Bettinchen-guck-in-die-Luft*, maak je lei schoon, eet je peperkoek, maak geen spatten, wat sta je daar te staan?

De stammen in het bos drongen dichter op elkaar, het zonlicht kwam er met moeite zo nu en dan tussendoor. Bettina moest zich een weg banen door hoge varens, daarna kwam ze op een droog stukje bosgrond met een tapijt van bruine naalden. Ze stopte dennenappels in haar schort, gooide ze weer weg. Ze beklom een steile heuvel en liet zich er aan de andere kant van afglijden. Ze wilde honderd boomstammen tellen, maar hield er bij vierenzestig mee op. Ze krabde haar kuiten open waar de vliegen haar door haar witte zomerkniekousen heen hadden gestoken. De weg was lang geworden en het bos meer en meer verboden.

Onverwachts stuitte ze op een kolenbrandershut. Het was een open plek in het bos. Door de stammen van de bomen heen zag ze de zon terug, die lager stond en langere schaduwen maakte. Een dozijn haveloze, roetzwarte kolenbranderskinderen was uit het niets tevoorschijn gekomen en keek haar met vreemd witte ogen aan. Sommige droegen alleen een hemd. Ze waren blootsvoets. Midden op de verbrande open plek in het bos stond de kegelvormige meiler te roken. Op elkaar gestapelde tonnen met teer omringden de open plek. De kinderen stonden stom naar haar te kijken, sommige droegen takkenbossen om de meiler mee af te dekken. Vanachter de hut kwamen een zwartgeblakerde man en een vuile vrouw tevoorschijn. De vrouw begon met schelle stem te roepen in een vreemde taal, waarvan ze alleen het woord 'kind' verstond.

Het was alsof Bettina in de hel was beland. Het waren de laatste kolenbranders, een armzalig groepje dat nog wat teer voor de schepen op de Main produceerde, nauwelijks genoeg voor een bestaan. De rook die in haar ogen prikte leek hen niet te deren. Rood zonlicht viel op de zwarte, gladde boomstammen, die net als de kinderen roerloos wachtten. Alles hield zich in, niets bewoog er behalve de ijl kringelende rook uit de meiler. Ze herinnerde zich plotseling flarden van gesprekken van haar moeder met de dames die hoeden bestelden: 'geslachtelijke immoraliteit','onechte kinderen'. Ze was bij holenmensen terechtgekomen met onechte kinderen, die haar zodra ze uit hun betovering zouden ontwaken en echt zouden worden in het vuur zouden gooien. 'Geslachtelijke immoraliteit', zoiets onbegrijpelijks moest die met mos en takken bedekte reusachtige kegel zijn waar het vuur in gloeide.

Op het gekijf van de vrouw kwam een tweede man, een jongere, vanachter de hut vandaan. Hij lachte toen hij Bettina zag, met witte tanden in een roetzwart gezicht. Hij droeg een van de onechte kinderen op een kroes water voor haar te halen en keek toe hoe ze dronk. Ook hem verstond ze nauwelijks, maar met veel gebaren en wijzen begreep ze dat hij haar naar het eerste het beste boerenhuis buiten het bos zou brengen. Ze volgde hem op twee meter afstand. Ze keek hardnekkig naar zijn versleten, rode laarzen, zijn gezicht met de witte tanden wilde ze vermijden, dat zou ze zich pas later keer op keer voor de geest willen halen. Het bos begon te druipen van de rode, ondergaande zon.

'Hoe kom je daar nu bij, dat mijn grootvader een papegaai had?' vroeg mijn moeder verontwaardigd, 'en dat in een huis met kleine kinderen. Zo'n beest is een haard van ziektekiemen.'

Voor mijn moeder waren bacteriën en andere ziektekiemen wat voor de inwoners van het Imperium Romanum de Goten en Vandalen moeten zijn geweest. Ze vermoedde dat die dingen zich in groten getale verzamelden aan de grenzen van haar huishoudelijk rijk en elk moment konden binnenvallen onder het aanrichten van enorme vernielingen. Nog voordat wij kinderen pap konden zeggen, werden we door haar al meegesleept naar inentingen tegen mazelen, difterie, kinkhoest, tetanus, kinderverlamming en pokken. Het betrekkelijke gevaar van hersenvliesontsteking bij de prik tegen kinkhoest en pokken nam zij voor lief. Alles beter dan micro-organismen als bacteriën, virussen en schimmels. Zij keerde het beddengoed en de inhoud van de kasten dat het een lust was, ventileerde om de haverklap het hele huis en joeg ons minstens een keer per dag onder de douche. Ze ging zelfs zo ver dat ze weigerde ons een schone luier om te doen zonder een dun lapje voor haar neus en mond, dat al die vieze beestjes die ze bij de slager of groenteman had opgelopen moest beletten uit haar mond en keel de weg te vinden naar ons, weerloze wichten. Een van mijn broers beweerde een tijdlang dat hij daardoor een contacttrauma had opgelopen.

Mochten de kleine beestjes toch onverhoopt door de grenzen van haar territorium breken, dan was alleen grof geweld goed genoeg. Wij zijn met z'n allen een maand thuisgehouden van school, in welke maand we rondliepen met onze kortgeknipte hoofden ingesmeerd met het stinkende nathalion in van luiers gemaakte witte tulbanden en we uit de buurt van de ramen moesten blijven. Een kinderschare met hoofdluis was het meest beschamende dat ze zich kon voorstellen, en met eindeloos geduld haalde ze elke avond de luizenkam door ons haar, zonder dat er één beestje te betrappen viel.

De oorlog tegen de vijand van buiten kon niet op tegen de erfelijke hartkwaal waaraan ze haar grootmoeder Maria Blumenträger en haar moeder veel te jong had verloren en die zich, elke keer dat ze ons op stout gedrag of op lawaai betrapte, dreigend in haar binnenste kenbaar maakte. 'Ach Gott, mein Herz,' zei ze en greep naar haar linkerborst, waar de duivel tekeerging. Verstijfd van angst keken wij keer op keer toe hoe ze er elk moment bij neer kon vallen en pas als mijn vader thuiskwam van zijn werk, in één oogopslag de situatie van een stervende vrouw en wegkwijnende kinderen overzag en de woorden sprak: 'De arme vrouw. Zij stierf op negenennegentigjarige leeftijd van verdriet,' was het leed geleden.

Mijn moeders hart heeft zich tot op haar inmiddels tweeëntachtigjarige leeftijd kranig geweerd, heeft nooit een krimp gegeven, klopt tot op de dag van vandaag met de regelmaat van een metronoom het bloed naar alle uiteinden van haar lichaam. Aan de dreiging met een hartstilstand kwam pas een einde toen bleek dat twee van haar zoons de erfelijke misère werkelijk met zich meedroegen. Tegen genen valt niet te vechten.

'Wie was de arme Pfiffikus dan, als het niet de papegaai van je grootvader was?' vroeg ik haar.

'De arme Pfiffikus, de arme Pfiffikus,' zei ze, in haar geheugen rondtastend waar ze schemerlampen aan- en uitknipte, 'dat was iets wat je zei als je met iemand te doen had. Dat was zo'n uitdrukking. Maar mijn grootvader een papegaai! En de vijfde van Beethoven! Hoe moest een papegaai aan de vijfde van Beethoven komen? Er was daar in 1900 geen radio hoor, en ook geen koffergrammofoon.'

'Misschien werd er wel eens een openluchtconcert gegeven,' opperde ik.

'Een openluchtconcert? In Michelau?' Mijn moeder had een groot dédain voor dorpen en ze beschouwde elke woonkern met minder inwoners dan de stad Frankfort (waar ze was geboren) als een dorp. In 1934 was ze eerst in Apeldoorn terechtgekomen en vervolgens in Eindhoven: dorpen. Zelfs toen in de jaren zestig op de Elandsgracht in Amsterdam een gloednieuw politiebureau verrees met als bijzondere attractie de paternosterliften, zei ze snierend dat paternosterliften in het warenhuis voor haar als schoolgaand kind van zeven tot de dagelijkse speelroutine behoorden. 'Een papegaai meenemen naar een openluchtconcert, dat is wel het dwaaste wat ik ooit heb gehoord,' zei ze.

Maar ik hád helemaal niet gezegd dat mijn overgrootvader de arme Pfiffikus had meegenomen naar een muziekmanifestatie, ik had hem alleen maar de eerste maten van de Vijfde van Beethoven laten fluiten, en al had hij ze door Albert Schweitzer horen fluiten in het oerwoud van Lambarene.

'In die tijd was Albert Schweitzer hoogleraar in Straatsburg en had hij nog nooit een oerwoud gezien,' zei mijn moeder, 'en trouwens, Schweitzer hield van Bach, niet van Beethoven.'

Zo kwamen we niet verder.

'Kom kind,' zei Schlomo Nussbaumer en hij leidde Bettina aan zijn hand de winkel binnen. De boeren op de bok riepen met lange stem tegen het paard en klakten met hun tong. Krakend kwam de kar waarop ze naar de Treibgasse was gebracht in beweging. Buiten lag het laatste licht op de daken van de huizen. Binnen stak Schlomo de lamp op. Daarna liet hij haar alleen om de luiken te sluiten. In de winkel was het donker en zoet, haar schaduw verplaatste zich met de bewegingen van Schlomo. Ze raakte voorzichtig de stoffen aan alsof ze bang was de kleuren eraf te vegen. Ze verwonderde zich over zoveel verschillende stoffen. Voor de hele wereld nieuwe jurken.

'Kom kind,' zei Schlomo opnieuw en hij ging haar voor met de lamp door kleine, donkere gangen, ze sloegen hoek na hoek om, totdat ze in een achterkamertje kwamen waar een tafel en twee stoelen stonden, en Schlomo's slaapdivan. Ze ging aan tafel zitten en volgde met haar vingers de nerven van het hout. Ze wachtte op straf, de binnenkomst van haar moeder, die haar met zwarte ogen de les zou lezen en de sancties zou noemen die op haar ongehoorzaamheid zouden volgen. Het was zaak zo stil mogelijk te zitten en elke beweging te vermijden. Ze probeerde niet naar Schlomo te kijken, die in een alkoofje in de weer was. Na enkele minuten rook ze de geur van soep en ze keek op. Schlomo kwam binnen met een kandelaar en een wit kleed, dat hij over de tafel spreidde. Hij streek met zijn handen de plooien glad.

'Dit is damast,' zei hij terwijl zijn handen het tafelkleed niet met rust lieten, 'uit de verre stad Damascus. Als de kaarsen aangaan, kun je de lichtpatronen zien van de ketting- en inslagdraden. Let straks maar op.'

'Moet ik niet naar mutti? Moet ik niet naar huis?' vroeg ze.

'Je mutti dacht dat je naar huis was gaan lopen, dat ze je aan de rand van de stad wel tegen zou komen. De boeren moeten naar Markt Heidenfeld, die halen haar wel in. Ik denk dat je vanavond hier kunt blijven.'

Hij zette borden en brood op tafel en stak de kaarsen aan.

'Geprezen zij Gij, Eeuwige onze God, koning der wereld, die ons heeft geheiligd met zijn geboden en ons heeft opgedragen de lichten te ontsteken,' zei hij en hij schonk wijn in de glazen. Daarna zei hij woorden in een taal die ze niet verstond en die haar betoverde.

Het was of de woorden uit Damascus stamden en van daaruit regelrecht in de mond van Schlomo kwamen gevlogen, waar ze tot een duister fluisteren werden omgesmeed, waarbij spreken en ademhalen niet meer van elkaar te onderscheiden waren. De ziel vliegt in de woorden, dacht ze terwijl ze naar Schlomo's bewegende mond keek; de ziel is geen engel met vleugels, maar het zwart uit de mond van Schlomo, een ander zwart dan dat van de kolenbranders, van wie de woorden hard en scherp hadden geklonken. Damast is wit fluweel, dacht ze, en de woorden uit Schlomo's mond zijn zwart fluweel. Ze zuchtte, haar adem ontsnapte haar, maar toen ze verschrikt opkeek had Schlomo zijn ogen alweer open en keek hij haar vriendelijk aan.

'Hier,' zei hij en ze dronk voor het eerst van haar leven wijn en schrok toen de bitterheid haar mond met hete adem vulde. Om niet onbeleefd te lijken nam ze een tweede slokje en opnieuw prikkelde het bittere haar verhemelte zo sterk dat ze het wilde uitspugen. Maar ze vond de lichte pijniging ook aangenaam.

Nadat Schlomo water over haar handen had gegoten en haar had voorgedaan hoe je zout op het brood strooide voordat je het in je mond stak, schepte hij de soep op. Hij luisterde naar haar verhaal van de kolenbranders en hoe ze de weg was kwijtgeraakt en van Ulli in zijn doodsbed met spijlen, toen hij nooit meer zou trommelen. 'Als Ulli eraan kwam, hoorde je eerst zijn trommel,' zei ze.

Hij knikte en toen ze uitverteld was zei hij: 'Nu moet je mij naar het verhaal vragen.'

Ze luisterde, terwijl ze in de vlammen van de kaarsen staarde. Ze keek naar Schlomo's vertellende gezicht en naar zijn handen, die het verhaal kalmeerden als het te hevig werd of zich openden als er vreselijke dingen gebeurden. Ze zag de engel met het zwaard langs de deurposten gaan en begreep plotseling dat Ulli een eerstgeboren zoon was. Ze luisterde of ze buiten in de Treibgasse niet het geruis van de engel hoorde of het gehuil van families. Zolang ze bij Schlomo zat, was ze veilig. Terwijl ze allang niet meer begreep wat Schlomo vertelde over rookkolommen bij dag en vuurzuilen 's nachts, luisterde ze naar de klanken van zijn stem en zag ze de kaarsen steeds korter worden en de vlammen steeds langer. Haar hoofd was zo zwaar dat ze het niet meer rechtop kon houden, het zakte en zakte totdat ze met haar voorhoofd het damasten tafelkleed raakte en de stem van Schlomo verloren ging in haar slaap.

De volgende morgen liet Schlomo de luiken voor zijn winkel dicht. Hij had de deuren wijd opengedaan en nodigde haar op een van de twee krukjes die hij op straat had gezet. In de Treibgasse was het al druk. Groentekarren trokken voorbij, op weg naar de markt. Een herder dreef twee schapen voor zich uit en jonge mannen in lange, groene schorten lieten met geweld de biervaten van de karren rollen. Alleen zij tweeën deden niets en zaten naast elkaar in de zon.

Ze voelde zich behaaglijk in de zonnestralen en vrij van haar moeders plichten. Het licht kaatste zo schel van de keien dat ze haar ogen moest dichtknijpen. Daarom zag ze de kar pas toen de voerman voor hen halt hield. Het was een boer uit Michelau, die in alle vroegte zijn hop bij de bierbrouwerij aan de Rossmarkt had afgeleverd en nu 'Opstappen!!' brulde. Ze vond dat ze pech had, dat de ochtend met Schlomo te kort was geweest, maar ze stond gehoorzaam op en gaf Schlomo een hand. Hij legde zijn hand op haar hoofd. 'Dag kind,' zei hij, 'kom je gauw nog eens langs met je moeder?'

Terwijl de voerman behendig zijn paard tussen de bedrijvigheid op straat door mende en ze nog eens omkeek naar de terugzwaaiende Schlomo Nussbaumer, had ze het gevoel dat het de laatste keer was dat ze hem zag.

In de nieuwe eeuw ging ze naar de kostschool in Miltenberg. De 'Engelse juffrouwen' beheerden ook de meisjesscholen in Aschaffenburg, maar Maria Blumenträger wilde haar tweede dochter uit de buurt hebben. Misschien was het om de gestorven jongen dat ze een van haar kinderen niet meer in de ogen durfde te kijken, misschien was het om iets anders. In ieder geval schoof ze de schuld op Schlomo Nussbaumer, die het kind nooit een nacht onder zijn dak had mogen houden.

Tenslotte was hij een jood. Eens een jood, altijd een jood, hoeveel beminnelijkheid ze tegenover hem ook in

acht had genomen, de eerste tijd van hun kennisma-
king meegerekend. Alleen omdat haar eigen familie ooit
van het ene geloof op het andere was overgestapt, hoefde ze nog niet mild te zijn tegenover de stoffenverko-
per? Dat was allemaal zo langgeleden, de nieuwe eeuw
stelde andere eisen, ze moest nu aan een welvarender
Duitsland denken. Als ze dan al eens bij Schlomo Nussbaumer had geklaagd over het eeuwige gebeier van de
klokken, dan was dat omdat ze als moderne vrouw een
afkeer had van godsdienst. Volgens Darwin stamde de
mens van de aap af en als er één ding in haar ogen ver-
achtelijker was dan een jood die geen varkensvlees at,
dan was het een aap die klokken luidde.

Wij waren meer een haas- en konijnetersfamilie dan
een die varkensvlees at. In mijn herinnering hing er altijd wel een wijdpotige haas te besterven aan de binnenkant van het schuurdeurtje en wij hebben jarenlang onze kinderbillen vertroeteld met konijnenvellen,
die op de rieten krukjes lagen waarop wij geacht werden rechtop te zitten en zonder ellebogen te eten. Mijn
vader ging eens in de veertien dagen naar de kienavond
van de gemeentesecretarie waar hij werkte en kwam
elke keer flink aangeschoten thuis met een haas in zijn
handen. Het villen en schoonmaken moet hij zichzelf
hebben geleerd. Ook hing er bij ons in de kamer een le-
vensgrote reproductie van de haas van Albrecht Dürer,
het dier de alertheid zelf, met zijn rechtopstaande le-
pels en zijn haartje voor haartje vastgelegde schaduw-
loze bestaan.
Natuurlijk zei mijn moeder dat mijn vader hoog-
stens één keer per jaar op de kienavond de hoofdprijs
won, maar hoe verklaarde ze dan de tientallen konijnenvelletjes die door het huis zwierven? 'Je vader bracht
wel vaker rare dingen mee,' zei ze.

Dat was waar. Om de haverklap draafde hij op met een olieverfschilderij dat hij in een uitdragerij op de kop had getikt, of met een zoveelstehands Perzisch tapijt, waardoorheen hier en daar de plankenvloer zichtbaar werd, of met een leunstoel die niet in de erker paste en waar monsters in moesten hebben gezeten, of met een koperen haardscherm waarop godinnen dansten, terwijl wij niet eens over een open haard beschikten.

'Ik weet niet waar hij al die spullen vandaan sjouwde,' zei mijn moeder.

'Om je te verrassen, om je te verrassen,' zei mijn vader.

Pas later, toen wij kinderen allemaal het huis uit waren, heeft ze de uitdragerswinkel van mijn vader de deur uit gedaan en nieuwe spullen aangeschaft, die zo lelijk zijn dat ze een volgende opkoper 'stinkend rijk' zullen maken.

Wat de hazen betrof, zeurden we bij mijn grootvader herhaaldelijk om het verhaal 'De drie broers'.

Er was eens een man die drie zonen had en die hen alledrie zo liefhad, dat hij niet wist aan wie hij het huis dat nog aan zijn grootouders en dier grootouders had toebehoord, moest nalaten. Dus stuurde hij de drie jongens de wijde wereld in en zei: 'Leer een vak en wie met het beste meesterstuk thuiskomt, krijgt het huis.'

De eerste zoon werd hoefsmid, de tweede werd barbier en de derde zwaardvechter, en toen het voor de oude vader tijd werd om te sterven, kwamen de drie broers naar huis terug en beraadslaagden ze hoe ze het beste hun meesterschap konden tonen. Op dat moment kwam in gestrekte draf een voerman met paard en wagen voorbij en de oudste broer sprong op de bok, rukte het paard in gestrekte draf de hoefijzers af en besloeg het. Dat was knap werk, zei de vader. Toen kwam er een haas door het veld gerend en de tweede broer pakte zijn scheerbekken, kwast en mes, schoor de haas in volle vaart zonder hem een haar te krenken een korte baard en de vader zei: 'Dat is knap werk.' De derde broer stapte naar voren, trok zijn degen terwijl de regen uit de hemel begon te gutsen en zwaaide zijn wapen zo snel in het rond, dat geen spatje regen op zijn hoofd terechtkwam.

Hoewel het laatste staaltje meesterschap verreweg het meest verbluffend was, het had zelfs iets weg van het soort wonder waar wij op school over hoorden praten, vroegen wij mijn grootvader iedere keer opnieuw het huis toch te geven aan de middelste broer, die de haas had geschoren, want dat was precisiewerk, dat konden wij natellen op onze konijnenvelletjes, en om ons een genoegen te doen veranderde mijn grootvader het verhaal zó dat de middelste zoon de jongste zoon werd, want zulke verhalen kennen hun eigen wetten, waarin de jongste altijd aan het langste eind trekt. Bovendien kenden we het scheermes van mijn grootvader, dat zo scherp was dat we er alleen maar naar mochten wijzen. Onze vader was overgestapt op gilettemesjes in een houdertje, waarmee een haas tot op geen tien meter afstand kon worden benaderd.

Tussen ons was er geen huis te verdelen. Het laatste huis, 'het huis met de veertien heiligen' in Michelau, was verloren gegaan in het hysterische geldjaar negentien drieëntwintig, en mijn moeder heeft het pas op hoge leeftijd teruggezien, want het huis was inmiddels in haar en in onze ogen tot een nachtmerrie geworden door het verhaal dat de goedzak Carl Bory het uiteindelijk had verkocht op het exacte dieptepunt van de financiële instorting van Duitsland. De ene dag had hij nog een ruim en gerieflijk huis, de dag daarop kon hij voor het geld van de verkoop ervan alleen nog maar een varken kopen. Stel je voor! Eerst heb je een dak boven je hoofd, met alles erop en eraan, ook al was je naar de achterkant van het huis verbannen, en een halve dag later liep je door de straten met een varken aan een touw. Het leek ons het toppunt van smaad en ellende en het publieke lichaam van het varken, als lachend speklapje-met-schort uitgestald bij de slager, heeft ons altijd met diepe afkeer vervuld.

Behalve dédain voor het varken had de affaire met het huis in Michelau ons al vroeg de waardeloosheid van geld doen inzien, want mijn moeder bewaarde in haar nachtkastje stapels bontgekleurde vellen geld met duizelingwekkende bedragen, die waardelozer waren dan elke stuiver die je op straat vond of van de tafel griste, maar ze bewaarde ze als de schat van Ali Baba. Het waren de varkensmarken die ze op de aftocht uit het Derde Rijk op de bodem van hun koffers hadden verborgen in de hoop dat ze in Nederland die lappen voor vol zouden aanzien. Als het om vluchten gaat: stop je herinneringen in de zoom van je rok.

'Die geschiedenis met Bettina' is nooit opgelost. Bettina liet niets los over de zomermiddag dat ze in het bos was verdwaald en naar de winkel van Schlomo was gebracht. Wat had Schlomo met haar gedaan? Gegeten. Maar wát gegeten, kind, je kunt toch zomaar niet alles eten, je moet toch weten wat je eet? Gewoon gegeten en over de rest deed Bettina er het zwijgen toe.

Maria Blumenträger bestuurde met nog straffere hand het huishouden met de vier dochters, van wie er drie in de vakanties terugkwamen van hun kostscholen in Amorbach, in Würzburg en in Miltenberg. Daar kwamen ze, Bettina, Rosa en de kleine Elvira, uit verschillende stoomtreinen stapten ze in Aschaffenburg op het perron, waar Lina, de oudste, hen opwachtte met de 'vossenkar', Maria Blumenträger met haar mooiste hoed op de achterbank. Dan sprongen ze in de open calèche, de drie dochters met hun rieten reiskoffers, de schoolpetten op het hoofd, alledrie met verschillend gekleurde linten, de zedige schooluniformen hooggesloten ondanks de al losgebarsten zomer, en dan joeg Lina de twee vossen met klinkende hoeven de stad door, langs de zaak van Schlomo Nussbaumer, die de zonovergoten koets de scherpe draai de Rossmarkt op zag maken en die bedacht hoe huiveringwekkend snel de tijd voortjakkerde naar – ja, naar wat eigenlijk?

Auto's

'Wat moet ik nou met twee dollar?' vroeg mijn moeder, verlegen voor haar doen, terwijl ze twee groene dollarbiljetten omhooghield, 'hij zal toch niet denken dat ik aan de bedelstaf ben geraakt?'

Ik legde haar uit, terwijl ik me erover verbaasde waar ik die kennis vandaan haalde, dat de twee biljetten een uitnodiging betekenden om naar Amerika te komen. Dat het een oude, Amerikaanse gewoonte was om twee dollar op te sturen, wat zoveel betekende als: kom zo snel als je kunt.

'Ach, quatsch,' zei mijn moeder ongelovig, maar toch een beetje gevleid, 'hij kan toch niet van een vrouw op mijn leeftijd verwachten dat ze op stel en sprong afreist? Je vader zou het niet nóg eens overleven.'

Zeven jaar tevoren waren ze gegaan, toen ze de reis van ons hadden gekregen, en het was geen succes geweest. Het begon ermee dat mijn vader, toen hij middenin de slaapkamer de twee koffers optilde die mijn moeder met aanzienlijk overgewicht had gepakt, voor de eerste keer in zijn leven was flauwgevallen. Hij had zo'n hekel aan het vooruitzicht van de lange reis in het vliegtuig naar een land dat hem op geen enkele manier kon bekoren dat hij ter aarde stortte nog voordat hij de voordeur had bereikt. Ons leek het effectief, maar op mijn moeder had het geen invloed. Ze waren net op tijd aan boord. Het ergste moest nog komen.

Amerika was het land van het rookverbod, van het

overal en altijd opduikende rookverbod. De hel was hem liever geweest. Zolang we ons konden herinneren had mijn vader een pijp in zijn mond. In een grote houten kist bewaarde hij honderden pijpen, en elke verjaardag kon je hem geen groter genoegen doen dan hem een nieuwe te geven. Oude werden nooit weggedaan, nieuwe met zorg ingewijd. De pijp was zijn laatste houvast aan de wereld, waar hij verder lak aan had, en toen overal om hem heen de vijanden van de tabak vastere voet aan de grond kregen, was hij bereid desnoods de pijp niet aan te steken, maar hij hield hem in de mond, gereed om de brand erin te jagen. Hij was een goedgehumeurde man, maar hij beschouwde het leven als een vermakelijke poppenkast die op een dag voorbij zou zijn, en hij wilde goed roken en drinken tot het zo ver was. Er waren maar twee zaken waar hij een diepe en blijvende hartstocht voor koesterde en dat waren zijn pijp en zijn vrouw, ex aequo. Wij kinderen waren de prijs die hij voor haar moest betalen.

De blunder van Amerika was dat hij zijn pijp er niet tussen zijn tanden mocht houden. Niet onaangestoken, zonder vuur en rook niet, leeg en schoon niet, nooit. Amerika stortte zich als één man op hem zodra hij zijn pijp alleen maar tevoorschijn haalde. Hij werd herhaaldelijk besprongen door met hun handen wapperende zwaarlijvige Amerikanen, die zwoeren ter plekke dood neer te vallen als hij dat ding nog een seconde langer in zijn hand hield. Ze zagen in hem een groter gevaar dan de instorting van Wall Street of de verspreiding van zenuwgas. Zo was er geen lol aan. Hij vervloekte alle inwoners van de nieuwe wereld in zwaar Syldavisch en keerde naar huis terug. Amerika was een land van dwazen en blunderaars en elk nieuw Amerikaans bombardement bevestigde zijn gelijk.

Maar nu zat mijn moeder met stille ogen te dromen

van een Amerika zonder haar tierende echtgenoot, en omdat ze wist dat het bij dromen zou blijven, zei ze dat hij het niet zou overleven.

De twee dollar waren afkomstig van Joey Coscenza en 'die geschiedenis met Positano' was er een van voor mijn vaders tijd, toen mijn moeder nog op het punt stond de hele wereld te veroveren en mijn vader, hunkerend zonder een schijn van een kans, achter haar aan fietste.

'Het is mij nog steeds onduidelijk,' zei mijn oom die in een emmer was geboren op de receptie van mijn moeders tachtigste verjaardag, 'ik wist niet beter dan dat ik met tante Rosa naar Positano zou gaan, en toen ging plotseling Ilna.'

Ilna is mijn moeders naam. Eigenlijk heette ze Alina, maar voor haar babybroertje was dat indertijd een lettergreep te veel, en als Ilna werd ze in 1934 in Nederland geregistreerd.

Mijn moeders versie van de reis naar Positano was dat zíj mee mocht in plaats van haar broertje, omdat tante Rosa niet wilde deugen. Je kon eenvoudig een jongen van zestien niet op de trein zetten met een vrouw die al vóór Napels al haar kleren zou hebben afgeworpen en halfnaakt, met slechts drie veren en soms geeneens geen drie, elke Italiaanse jongeling zou proberen te strikken. Ondanks de emmer was mijn oom een mooie jongen en die twee samen was solliciteren naar rotzooi. Dus stuurde mijn grootmoeder Bettina haar dochter in plaats van haar zoon met haar zusje mee, tot wederzijdse gemengde gevoelens. Mijn moeder had zojuist eindexamen gedaan, was jong en, ook al zou nu juist die eigenschap niet op ons overgaan, beeldschoon.

'Altijd die hand naar die veren op haar hoed, gék werd je ervan,' zei mijn moeder wanneer ik het album

doorbladerde van de zomer 1938 in Positano en inderdaad, of het kiekje nu was genomen in de Villa Jovis of
voor de San Michele, in de tuinen van de Villa Cimbro-
ne of gewoon aan tafel in Da Giuglia, mijn moeders
tante Rosa leunde tegen antieke zuiltjes met een wufte
hand tussen de veren van haar zomerhoed: hier ben ik,
Rosa, Rosae, Rosae, Rosam, Rosa!

'Alfabet vereenzaamt,' zei mijn jongste zusje Engel op
zesjarige leeftijd, toen ze niemand van ons bereid vond
met haar te spelen en mijn moeder haar aanried een
boek te gaan lezen.

Van de 'wij' in deze geschiedenis was ik jarenlang
een onafscheidelijk element. Wij lazen elkaars boeken,
droegen elkaars kleren en speelden met hetzelfde speel-
goed. Het sterkst voelden we de verstrengeling als we
samengeperst in onze opeenvolgende auto's aan de verre reis naar het zuiden begonnen. Wij leefden bij de
gratie van kruiskoppelingen, versnellingskabels, olie-
peil en picknickmanden. Zodra die op orde waren werden wij bovenop en naast elkaar ingeladen. Beklemd
tussen portierhengsels die loslieten en knieën, tussen
asbakjes vol kauwgom en een volgestouwde hoeden-
plank, op achterbanken die ons allemaal naar de kuil in
het midden dreven, deed een eigen grammatica niet
meer terzake. Het kwam erop aan doortastend, hoewel
doodsbang de gevaren van onderweg te doorstaan.

Wij waren een dobberend konvooi op de Europese
snelwegen, met kleine strubbelingen binnen de gelede-
ren, maar eensgezind in het doel om in het zuiden de si-
naasappelen van de bomen te plukken die mijn moeder
en tante Rosa daar hadden laten hangen. Wij bereken-
den afstanden, telden dezelfde merken auto's op de weg
als die waar wij in reden, schatten procenten van stij-
ging bij het klimmen en het dalen en rekenden de wis-

selkoersen van de benzineprijzen uit. Niemand van ons vermoedde dat de taal langzamerhand meer vat op ons zou krijgen dan de rekenkunde, dat de woorden 'kruiskoppeling' en 'differentiaal' minder betekenis voor ons zouden krijgen dan het verbuigen van de eigen naam. Pas toen het zo ver was, toen ieder van ons zelf de pen leerde hanteren, verdween onze saamhorigheid.

Rosa was de op een na jongste dochter van Maria Blumenträger, de dochter die het eerst doorhad dat je moest zien weg te komen uit Michelau en het liefste weg uit Duitsland, en dat de kortste weg voor die vlucht via Berlijn liep. Zodra haar iets oudere zusje Bettina zich op twintigjarige leeftijd verloofde met een student chemie uit Berlijn, die haar een secretaressebaan bij professor Dessaur bezorgde, volgde ze haar zo gauw ze kon naar de hoofdstad.

Voordat Bettina in 1912 het pad van de liefde in sloeg, ging ze met haar moeder nog één keer langs bij Schlomo Nussbaumer. Die had tijd genoeg gehad om zijn hoofd te schudden over de dingen die stonden te gebeuren. Elke week zag hij nieuwe gezichten in zijn stoffenwinkel, van vrouwen die zich met hun gezinnen aan de Steinheimerstrasse vestigden, aan de Goldbach- en Friedrichstrasse, die hun huizen wilden stofferen met de laatste mode. Hij zag de armere mensen aan het nieuwe spoor werken, in de dagmijnen de bruinkool opdelven, hij zag de houthakkers uit de Spessart hun sparrenstammen de Main af laten zakken. Aschaffenburg werd uit de slaap geschud door nieuwe industrieën. De twintigste eeuw moest de eeuw van de Duitse steden worden, nu Pruisen was getemd moest een ijverig Duits volk de handen ineenslaan. 'Die Weltgeschichte ist das Weltgericht,' luidden de klokken. De kleermakers rond Aschaffenburg vierden hoogtij.

Soms trok Schlomo zich op klaarlichte dag terug in zijn winkel en liep met onverklaarbaar heimwee langs de balen, zacht fluisterend: 'Damascus, Constantinopel, Kaudila, Macao,' en op die manier riep hij het onmetelijke rijk van God te voorschijn, waar de kleuren en de patronen werden gecreëerd en het licht de juiste inslag weefde. In de dromen van Schlomo was plaats voor donkere, heerszuchtige vrouwen op kamelen, of op de achterbank van een calèche met twee vossen ervoor, en voor kaarslicht waarbij men elkaar vertelde van de wonderen van de schepping en het eigen heldhaftige aandeel daarin. Dan glimlachte hij om de driftige geluiden van het stadje en de ambitieuze dromen van degenen die de Naam niet kenden.

Alles was goed, verzekerde men elkaar in de straten. Alles is vrede en vooruitgang, zeiden de koningen en keizers die bij elkaar op verjaarsvisite gingen – en hoe staat het met de kleine troonopvolger?

Buiten de grenzen van Duitsland was, nog voordat de nieuwe eeuw goed en wel op gang was gekomen, een schril geluid te horen. In Kisjinov, Moldavië, vond een paar jaar na de eeuwwisseling een pogrom plaats die progressieve trekken vertoonde. Het was in Rusland allang een dagtaak om tot het uitverkoren volk te horen als het om have en goed ging. Maar de aanval was dit keer gerichter, beter voorbereid in de lokale pers. Het nieuws uit Kisjinov verspreidde zich naar het westen; Schlomo liet zijn vingers knakken toen hij het hoorde en bedacht dat dit de voorbode was van veel ergere dingen dan die men zich bij de Russische pogroms uit 1880 had kunnen voorstellen. De aanleiding was het gerucht van een rituele moord op een christenjongen in de nabije stad Doebossary. Schlomo kreeg het gedicht over de slachtpartij van de dichter Bjalik onder ogen: 'Alha-sjekita. Vegadol ha ke'ev me'odjaogedola ha-klima-joe ma mi-sjeinen gadol?' De pijn van dit alles was groot en de schande was het, welke van de twee was groter? Dat was, dacht Schlomo, een vraag die zelfs de Eeuwige niet kon beantwoorden.

Huiverend ontving hij de achttienjarige Bettina en haar moeder voor de laatste keer. Bettina had stof voor reiskleren nodig.

Wat was ze groot geworden, zijn Bettina, wat een jongedame was ze! Was alles goed gegaan bij de 'Engelse juffrouwen' in Miltenberg? Had ze geleerd waar Vladivostok lag, waar de zijde vandaan kwam? Had ze gehoord van de watervallen van het Victoriameer in Afrika, die tot de wereldwonderen moesten worden gerekend? En van de twee broers in Amerika, die lieten zien dat de mens door het luchtruim zou vliegen? En dat die joodse geleerde de ruimte aan de Eeuwige had teruggegeven en daarmee alles tot sterren had gemaakt, vallende sterren? Dat alles viel en in evenwicht was en viel? Het heelal bestreek Schlomo met zijn vragen.

'Schlomo droomt van dingen die niet gebeuren,' zei Maria Blumenträger, 'Bettina gaat naar Berlijn.'

Alsof dat geen wonder genoeg was. Het kind trok de wereld in, hoewel ze nog niet gewend was aan haar status van aanstaande, hoewel ze nog altijd liep te verdwalen en zich verontschuldigde met vriendelijke oogopslag. Waarvoor? Schlomo wist het antwoord. Voor het feit dat ze tot een andere wereld ging behoren, met bals en jongemannen met strooien hoeden, jongens uit gegoede families.

Schlomo drapeerde de lappen stof over haar schouder, deed een stap naar achteren, monsterde haar met half dichtgeknepen ogen en verwierp dit en keurde dat goed. Onder alle kouwe drukte nam hij afscheid van het kind dat hem het liefste was geweest, dat in de donkere gangen van zijn winkel had leren lopen terwijl

Carl Bory met zijn treinen tot aan de Bosporus voort-joeg, dat naar hem toe was gekomen als Maria Blu-menträger in de weer was met de mevrouwen en hun hoeden. Totdat ze daarvoor te groot was geworden en naar Miltenberg op kostschool was gestuurd.

'Ze gaat werken voor professor Dessaur,' zei Maria Blumenträger toen hij de stoffen voor haar oprolde, en in een adem voegde ze eraan toe: 'Bettina, zeg onze Schlomo gedag.'

Onze Schlomo? Schlomo moest grinniken, maar hij wist dat hij Maria Blumenträger niet aan zaken uit het verleden moest herinneren. Ze was met Carl Bory van huis weggelopen om te trouwen en toen de liefde even snel afkoelde als de kolen in de stilstaande treinen van de werkeloze Carl, had ze hem naar de achterkant van het huis verbannen, misschien omdat Schlomo nog een laatste vuurtje in haar had doen oplaaien. Als je maar nergens op rekende.

Schlomo legde zijn hand op Bettina's haar.

'Geloof nooit alles wat ze zeggen, kind, en vertrouw op de arme Pfiffikus.'

'Die zegt alleen maar "Ulli komt en trommelt",' zei Bettina, maar toen had haar moeder haar al meegetrok-ken, naar buiten, naar het licht en het uitzicht op een beter leven.

Schlomo keerde terug naar de geheime gangen van zijn winkel en pakte voor de zoveelste keer de vergeelde kranten op die hij had weten te bemachtigen. Kisjinov was acht jaar geleden. Toen was Gomal aan de beurt, in de volle zomer. Gedonder in kroegen en winkels. Het stond weer op de muren gekalkt, de roep die zich door Rusland verspreidde: 'Bej Zjidov', sla de joden.

'Jij weet niet wat oorlog is,' zei mijn moeder, 'hoe kun je nou iets verzinnen over wat je nooit hebt meegemaakt?'

43

'Jij dan wel, zeker?' riep ik terug, 'jij bent van 1919, een jaar na de Eerste Wereldoorlog, en in 1934 zat je veilig en wel in Nederland.'

Ze wierp mij de bekende blik toe dat we het beter over iets anders konden hebben. 'Waar denk je dat ik die artrose aan heb overgehouden? Er waren verschrikkelijk weinig vitaminen toen ik een klein kind was,' zei ze, 'en dat je de naam van die zogenaamde Schlomo Nussbaumer gebruikt voor iets wat je uit je duim zuigt, vind ik gewoon verschrikkelijk.'

Er bestond in onze familie een zekere Hänsl, een boom van een kerel, die in de decennia van het Wirtschaftswunder goede zaken deed met het maken van 'milkshakes'. Hij was getrouwd met een achternichtje van mijn moeder, Naomi Nussbaumer. De grote, wat onhandige Hänsl had ieder van ons op onze tochten naar Italië nog aardbeien- en vanilleshakes voorgezet, voordat hij zich in 1966 met een jachtgeweer een kogel door de kop joeg, naar zeggen omdat hij de last van zijn s s-verleden niet langer kon dragen. In de tragische afloop vonden wij het enige tastbare van de Tweede Wereldoorlog terug.

'Overigens,' zei mijn moeder omdat ze zo snel mogelijk over iets anders wilde praten, 'overigens heb ik als kind nog gespeeld in schuilkelders waarvan de ramen blauw geverfd waren.'

'Waarom blauw geverfd?' vroeg ik.

'Het waren schuilkelders,' zei mijn moeder veelbetekenend.

'Nou ja,' zei ik bezorgd, 'misschien komt er hier ook wel eens oorlog, de Amerikaanse buitenlandse politiek in acht nemend.'

'Jij zult nooit weten wat een echte oorlog is,' besloot mijn moeder triomfantelijk, 'dit land kan geen oorlog voeren, het heeft niet eens schuilkelders.'

In de eerste oorlog van de eeuw wist Maria Blumenträger niet hoe gauw ze Rosa kwijt moest raken aan Berlijn. Rosa was tijdens de oorlogsjaren thuis nauwelijks te harden. Om de haverklap sloeg ze beddenspreien of tafelkleden om zich heen en declameerde met hoge stem 'Het lied van de klok' van Schiller of, toen de krijgskansen keerden, 'Deutschland, ein Wintermärchen' van Heine. Soms stelde ze zich op als Iphigenia in Tauris, waarbij de arme Pfiffikus de rol van het te offeren bokje moest voorstellen, maar de arme Pfiffikus zei dwars door Iphigenia's treurlied heen 'Ulli trommelt' en de combinatie maakte iedereen half krankzinnig. Toen ze hoorde dat de verloofde van haar zusje tot vliegenier was benoemd, riep ze de hele dag door het huis: 'Nur Flügel, nur Flügel,' de reclameslogan van de Junkerswerke in Dessau tot grote poëtische hoogte brengend. Totdat er weer eens een Junkers werd neergehaald en Bettina treurend in Berlijn achterbleef, net geen echte oorlogsweduwe, maar met genoeg verdriet om haar toekomst aan diggelen te zien. Maria stuurde onmiddellijk Rosa, omdat die eigengereid genoeg was om flink van zich af te bijten en het misschien voor elkaar kon krijgen de treurende Bettina wat op te vrolijken. Bovendien was op die manier Michelau verlost van een dramatisch talent dat iedereen op de zenuwen werkte.

Binnen de kortste keren had Rosa Berlijn onder de duim, zoals ze het noemde. Ze meldde zich met boa en veren bij een Berlijns dagblad en werd aangenomen. Dat kwam iedereen goed van pas in de naoorlogse jaren waarin *all that jazz* op het punt stond los te barsten. Ze stond voortaan om drie uur in de middag op, ontbeet met een glas witte wijn, bezocht de salons en de opera, de toneelvoorstellingen en cabarets, tikte haar stukje in de vroege ochtenduren, deponeerde het in de bronzen brievenbus van de krant en dook haar bed in. Een ijze-

ren constitutie, die Rosa, en een levensvuur dat iedereen om haar heen dreigde te verbranden.

'Ik mis de arme Pfiffikus,' zei Bettina op de rand van
het bed in hun pension aan de Bleibtreustrasse.

'Die lamzak die alleen maar "Ulli trommelt" kan
zeggen?' vroeg Rosa, zich niet bekommerend om de
vergroving van haar taalgebruik.

'Hij is de enige die Ulli tenminste nog noemt,' zei
Bettina, maar Rosa trok haar omhoog en zei dat uitgaan
de beste remedie tegen een depressie was. Bettina
mocht gerust haar rode jurk lenen.

Bettina trok tenslotte de rode jurk aan en bekeek
zichzelf in de spiegel. Ze had de keuze mee te strompe-
len in de eindeloze stoet oorlogsweduwen en lammen
en kreupelen die verbitterd en vol rancune van de slag-
velden waren teruggekeerd, zich aan te sluiten bij de
mensen die het communisme serieus namen en in roke-
rige zaaltjes tegen elkaar op schreeuwden, of zich op te
maken voor de nieuwe dans die zich aankondigde,
waarvoor ieder die jong was de haren kort knipte, de
rokken tot boven de knie opschortte, sigaretten rookte
en zich over de kersverse Republiek vrolijk maakte met
de woorden van Karl Kraus: 'Es bleibt wohl die beste
von ihren Gaben, dass wir keine Monarchie mehr ha-
ben.' Net toen ze bedacht dat de minste van de drie
kwaden de keuze was die Rosa had gemaakt, al was het
maar omdat de doden zich makkelijker het zwijgen lieten opleggen dan dat ze zich om hun hoogmoed lieten
haten, was er in het trappenhuis van het pension een
geweldig kabaal te horen, een potpourri van Duitse en
Amerikaanse liedjes, en voordat ze wist wat er gebeurde vielen drie vrolijk aangeschoten heren in rokkos-
tuum, met een Rosa die loenste van de champagne, de
kamer binnen onder het roepen van 'dubbele wezels,
dubbele kwezels, wie dubbel ziet die is 'm niet'.

Bettina stond middenin de kamer, in de rode jurk van Rosa, onwennig en geschrokken, klaar om in haar schulp te kruipen, toen een van de drie voor haar op de knieën viel en vroeg: 'Trouw met me. Wees socialist en trouw met me.'

Ze wist niets anders te antwoorden dan: 'Natuurlijk, meneer.'

Daarmee zat mijn grootvader, de technisch ingeni-eur die de fijnste mechanieken voor de firma Braun kon maken, vast aan mijn grootmoeder, die nog heel wat zwierpartijen door het lichtzinnige Berlijn moest mee-maken voordat het huwelijk tot aan de grenzen van de dood werd bezegeld.

'Tante Rosa was door en door lichtzinnig, mijn moeder was de goedheid zelve,' zei mijn moeder.

Ik keek verontrust toe of ze met een paar schichtige, bedachtzame bewegingen de stoeltjeslift langs de trap-leuning weer in het gareel zou krijgen. Techniek was voor haar een knop die je moest indrukken en zo snel mogelijk loslaten. Majesteitelijk vouwde de stoeltjeslift zichzelf op tot een kleinigheid waar je niet te veel aan-dacht aan moest schenken.

'Mijn vader werd opgehitst door Rosa, maar zijn hart ging uit naar mijn moeder,' zei mijn moeder.

Ik voelde een schrijnend gebrek aan traditie. Rosa noch Bettina had ik ooit gekend en hoewel mijn gelijke-nis met beiden keer op keer werd benadrukt, stond ik met twee tegengestelde karakters en lege handen. Rosa was gestorven in het jaar dat ik werd geboren, te veel gemangeld door twee wereldoorlogen om haar verstand bij elkaar te houden. Eerst het plezier, dan het verdriet, als je 't eerste goed doet, merk je het laatste niet.

'Als je maar niet iets kwaadaardigs verzint,' zei mijn moeder.

Wat moest ik verzinnen? Bettina had geen contouren, Rosa kende ik alleen van de kiekjes uit Positano.

Mijn moeder had het zuiden leren kennen toen ze achttien was en het zuiden had een indruk op haar gemaakt waarmee de rest van haar leven nauwelijks kon wedijveren.

'Let op,' zei ze toen wij op onze beurt in 1954 voor de eerste keer aan de noordelijke voet van de Alpen waren beland in een lichtblauwe Fiat 1300 met witte banden. 'Nu is de hemel nog gewoon blauw, maar aan de andere kant van de bergen is hij lichtblauw.'

Het regende dat het goot. Wij zaten op de achterbank dicht op elkaar, onze knieën opgetrokken tegen het vuile, bruine water, dat langzaam de doos met schoon beddengoed aan onze voeten begon te doorweken. Voor de afleiding hadden we ons in twee clubs opgesplitst, de ene helft telde de zwarte paraplu's buiten het bewasemde autoraampje, de andere de rode.

'Hou je vast, jongens,' zei mijn vader en hij boorde de neus van de Fiat in de zoveelste Rode Zee op onze weg. De vier wielen draaiden in het luchtledige, kregen weer grond onder zich en driftig dubbelklutsend kreeg mijn vader de auto op het droge. De voorruit zag zwart van de modder.

'En het water,' vervolgde mijn moeder onverstoorbaar haar herinneringen, 'het water is ook zo blauw, zo blauw, daarbij vergeleken is de Noordzee een plas chocolademelk, waarom rem je?'

'Ik rem niet,' zei mijn vader, 'hoe zou ik moeten remmen? Niets doet het meer.'

We waren tot stilstand gekomen voor het standbeeld van de oprichter van de Arlberg-spoorweg te Bregenz, aan de voet van de Pfänder en de Gebhartberg.

De tweedehands auto's waarmee mijn vader het zuiden probeerde te bereiken om elke keer opnieuw mijn moeders hart voor zich te winnen, waren in elk opzicht waardeloos. Mijn vader begreep niets van motoren, niets van techniek en bij het eerste het beste mankement dat de techniek vertoonde, diende alles meedogenloos overboord te worden gezet en werd er een nieuwe waardeloze tweedehandse bak aangeschaft, die wellicht beter zou presteren. Voor hem was de wereld begrijpelijk zolang zij met touw en ingewikkelde knopen aan elkaar hing. Met touw kon hij tafels en stoelen in elkaar zetten, het stuursysteem van een zeepkist zonder hapering laten functioneren, schaatsen onderbinden, spatborden vastzetten. Met touw kon je mijn vader om een boodschap sturen.

Onze eerste tweedehands auto, een Skoda Cabriolet, deelden we met meneer Li van het Chinese restaurant in de stad. De ene twee weken werden met de Skoda loempia's en haaievinnensoepen uit China gehaald, de volgende veertien dagen werden wij erin geladen voor uitstapjes naar de Velsertunnel of de Deltawerken. Algauw waaide het linker voorportier open bij elke snelheid die de veertig kilometer te boven ging en begon de linnen kap van de auto vervaarlijk te klapperen als de wind er vat op kreeg. Mijn vader snoerde, tot grote dankbaarheid van meneer Li, alles met touw vast en vervolgens maakten wij onze eerste buitenlandse reis naar de watervallen van Co, wij achterin met gekeperde zeildoekse vliegenierskapjes op en duikbrilletjes voor, mijn moeder met wapperende rokken op de voorstoel, geheel verblind door de haren die voor haar gezicht waaiden, maar met de juiste gelukzalige glimlach.

De watervallen van Co bleven het middelmatige werk. De Alpen moesten we over, naar het blauw dat zich zo onuitwisbaar in mijn moeder had geprent.

Andere auto's werden aangeschaft. Wij mochten op vrije zaterdagmiddagen bij louche verkopers minachtend tegen de banden schoppen, terwijl mijn vader onder de motorkap keek of de ploblemen die zich zouden kunnen voordoen met touw waren op te lossen. Wij kwamen thuis met auto's waar mijn moeders haar niet meer van in de war raakte, maar die ook nooit meer die gelukzalige glimlach konden opwekken.

Het was geen kinderspel om met die opgelapte en -gepoetste karbonkels de weg naar het zuiden te nemen. Al voor Keulen hadden we het eerste onheilspellende rinkeltje te pakken, waarnaar we urenlang ongerust luisterden totdat de auto het, meestal ter hoogte van de Zuid-Duitse Barok, begaf. Wij hebben álle kerken vanbinnen gezien. Het was de enige plaats waar mijn moeder met ons gratis en koel kon zitten, desnoods de hele middag, terwijl mijn vader bij de garagist soebatte om toch op te schieten. Onze dorst lesten we aan achttiende-eeuwse fonteinen, het geld dat we uitspaarden werd weer verkwanseld aan het opsteken van kaarsen, alles tot meerdere eer en glorie van de auto.

Wat de mensen die ons onderweg ter wille waren het meest bevreemdde, was dat dat wij met zo'n troep de Alpen over wilden, zoveel kinderen en dan nog zoveel spullen, de auto schoof met de bodemplaat over het wegdek. Het was geen kleinigheid, de Alpen. Terwijl wij stapvoets op wat niet meer dan grindpaden waren de Bernardino beklommen en mijn vader zich met hoogtevrees aan zijn stuurwiel en versnelling vastklampte terwijl mijn moeder hem attendeerde op de afgronden pal naast haar, werkten mannen met door de zon zwartgeblakerde ruggen aan de toekomstige autobanen en de alpine tunnels van de Ferrovia Svizzera. Het was de eerste keer dat we dwangarbeiders zagen, wat ze niet waren, maar zwetende half menselijke verschijningen in dichte teerdampen die niets anders dan Retoromaanse vloeken uitbraakten en rotsblokken kliefden en in lange rijen de weg naar de hel vormden, zoals ons het hoogste punt van de Bernardino leek, waar eeuwige sneeuw lag en de wind je de adem afsneed.

De beloning was de afdaling naar het zuiden, wanneer de eerste palmbomen en oleanders in zicht kwamen en een vermoeden van uiteenspattend licht ons onrustig maakte. Maar hoe we ook om het hardst riepen dat de lucht hier inderdaad lichtblauw was, hoe jolig de stemming ook was over het oudbakken karkas dat ons kreunend en steunend de berg op had gebracht en met piepende banden als een schicht de berg was afgedaald, voor mijn moeder was het blauw van de Noord-Italiaanse meren niets vergeleken bij wat Positano haar indertijd had geboden, niets werd ooit meer als alles voor de oorlog. Er was maar één zuiden en we zouden het nooit bereiken.

Terwijl Rosa bevallig over balustrades hing of tegen de lak van een zwarte Fiat 508 Ballila, zich door mannen het hof liet maken die te jong voor haar waren en er alles aan deed om maar in godsnaam niet terug te moeten naar het steeds grimmiger wordende Berlijn, roeide mijn moeder met Joey Coscenza op de onschuldige Middellandse Zee naar de grotto azzurro waar Joey haar *la zucchera olandesa* noemde en haar vroeg mee te gaan naar Amerika, waar zijn oom in onroerend goed handelde.

Er bestaan foto's van Joey Coscenza en mijn moeder die door Rosa moeten zijn gemaakt, hij in zwarte zwembroek met witte rand, zijn haar met veel brillantine gescheiden in het midden, en zij in shorts en plastron. Misschien zag Rosa door de lens van het boxje omgekeerd wat haar betere toekomst had kunnen zijn. Nooit meer om indruk te maken veren op haar hoed, nooit meer bang zijn dat het uit armoede de laatste veren zouden zijn, al zou haar nichtje de kastanjes uit het vuur moeten halen voor hun emigratie naar Amerika.

Mijn moeder dacht: dit is zoals het moet zijn. De overnaadse boot rook naar zee en vis, de riemen piepten in de dollen, op de oever zag ze haar tante Rosa onder een witte parasol een glas witte wijn heffen, er meerde een boot met toeristen uit Amalfi aan. De zon brandde op haar schouders, die ze Joey had laten insmeren met een mengsel van olijfolie en citroensap. Dit was het, de schrijvers en dichters, de kunstenaars en andere uitgewekenen, en zij en Joey, misschien. Misschien een andere dan Joey en liever niet tante Rosa, maar voor de rest strekte het leven zich even diep en verraderlijk uit als de smalle zee-engte bij Capri. Het was zoals het hoorde, het was wat ze zich had voorgesteld van haar leven en het was de gewoonste zaak van de wereld. Het was pijnlijk geweest als het niet de gewoonste zaak van de wereld was geweest.

'Daar geloof ik geen woord van,' zei mijn moeder toen ik haar had uitgelegd wat de twee dollarbiljetten betekenden, 'Joey moet nu bijna negentig zijn. Wat moet zo'n man met een jong meisje?'

Voor het gemak vergat ze dat ze zelf ook een respectabele leeftijd had bereikt. Ze keek of ze zich gevleid voelde.

Mijn vader zat erbij alsof het hem niet aanging. Hij had zijn leven lang geprobeerd zich avontuurlijker voor te doen dan hij was en op hoge leeftijd wist hij in alle gemoedsrust dat geen miljoen uit Amerika haar nog van hem kon afpakken. Hij had met haar kibbelend en innig de dagen doorgebracht en hij had zijn pijp, meer kon hij zich niet wensen. Een van mijn broers had ooit gezegd: 'Als vader doodgaat zal Milna zeer, zeer opbloeien, als Milna het eerste gaat, zal vader ook opbloeien, maar het zal van zeer, zeer korte duur zijn.'

Hij zou de kelder van zijn huis betrekken, de mooie voorraad wijn binnen handbereik. Hij zou nooit iets anders zijn dan een zich achter een lichte, cynische distantie verbergende romanticus.

Sinds de geboorte van haar eerste kleinkind noemde mijn moeder zichzelf, om het woord 'oma' te vermijden, Milna. Ons kwam dat goed uit. Met het woord 'mutti' hadden we ons tegenover de buitenwereld slecht op ons gemak gevoeld en voor 'mama' was ze eenvoudig niet in de wieg gelegd. Ze was geen 'mama', ze was iemand die in Amerika 'stinkend rijk' had kunnen worden, ze was iemand met vele lichten, die ze onder de korenmaat had geschoven omdat wij er nu eenmaal waren. Wij waren haar overkomen als levensbedreigende cavaleriecharges. Mijn grootmoeder Bettina was voor haar vroegtijdige dood vergeten haar dochter van het een en ander op de hoogte te stellen, en dat mijn moeder de verschillende kraambedden met ons had overleefd, was te danken aan haar ijzeren levenslust en de plicht die ze tegenover zichzelf voelde om, nu ze aan het Derde Rijk was ontkomen en zich staande had weten te houden, de best mogelijke voorwaarden voor een goed leven te scheppen. Wij stuurden dat voornemen herhaaldelijk in de war.

Soms zei een tachtigjarige op een feest tegen mij: 'Ilna heeft werkelijk een verrukkelijke taart gebakken,' en dan moest ik in een flits bedenken dat ze 'Ilna' was voor leeftijdgenoten en zag ik haar aan de riemen van het logge vaartuig voor de kust van Capri, over haar schouder lachend naar de fotograaf in de punt van de boot, de inmiddels negentigjarige concurrent van mijn vader.

Misschien lachte ze wel automatisch, zoals tante Rosa haar had geleerd 'cheese' te zeggen zodra er een lens op haar werd gericht. Als je het fotoalbum mocht geloven, zei iedereen de hele dag 'cheese' in dat Positano van 1938, nog van de prins geen kwaad wetend, nog doend alsof het altijd vakantie zou blijven.

Meer dan een paar losse feiten kregen we over haar verblijf in Positano niet te horen, de paar vergelijkingen ten nadele van ons jaarlijkse verblijf aan het Lago Maggiore daargelaten. Op de een of andere manier was mijn moeder, die in haar jonge jaren op Vivian Leigh als Scarlett O'Hara leek en op latere leeftijd op Rod Steiger in de rol van Napoleon, gesloten als het haar verleden betrof.

Haar verleden zat in een grote doos met een strik eromheen, die nooit door haarzelf zou worden opengemaakt en waarvoor ze met kracht waakte dat haar kinderen er een vinger naar uitstaken. Het was alsof ze op haar dertiende de deur definitief achter zich had dichtgetrokken.

Een keer is me gebleken hoe ze op vroege leeftijd al had beseft dat ze voorgoed van huis was gegaan. Zij en mijn vader hadden toen ze achter in de zeventig waren een georganiseerde reis naar Israël geboekt. Mijn moeder schepte er een satanisch genoegen in de oudste van zo'n groep te zijn en het slechtst ter been, want zodra een van ons voorstelde eens op een seniorenreis in te schrijven, wees ze het zo verontwaardigd van de hand dat het leek of we de maten van haar doodkist aan het opnemen waren. Elke reis viel ze de eerste de beste dag over een onvoorzien stoepje, brak ze haar bril en verstuikte ze haar voet, waardoor ze in de bus moest achterblijven, maar bij thuiskomst bleek iedere reis een onuitwisbare belevenis.

'Aan Jeruzalem vond ik niet zoveel,' zei ze jaren later,

'ik kon met die verstuikte voet nauwelijks de Via Dolorosa op en trouwens, er waren daar veel te veel akelig christelijke toeristen.' Toeristen waren een soort waar ze niet toe gerekend wenste te worden.

'Nu weet je wat Jezus onder het dragen van het kruis moet hebben geleden,' zei een van ons en ze lachte, want ze hield wel van grapjes en verviel in een veelbelovend gepeins.

'Er was daar een wijk,' zei ze even later, 'kom, hoe heette die nu ook alweer, Joseph, zeg eens, wat was de naam van die wijk waar we toen liepen?'

'Ik weet van niets,' zei mijn vader, die ook deze georganiseerde reis lang aan niets anders had gedacht dan aan het moment dat hij zijn pijpje kon opsteken, en blij was dat hij thuis was.

'Kom, die wijk had toch een naam,' zei mijn moeder, 'ik kan het niet uitstaan als wijken geen naam hebben.'

'Wat was er nou met die wijk?' riepen wij om haar niet op het idee te brengen dat het niet aan de wijk lag.

'Ach toe, Joseph, pak eens dat kaartje, we hebben daar toen nog gegeten.'

Maar op het kaartje stond de naam van de wijk ook niet, of ze hadden er niet gegeten, naar hij nog wist, want daar waren geen eethuizen, alleen maar villa's. Mijn moeder bleef verwoed in de bak met kaartjes rommelen.

'En, hoe gaat het met jullie?' vroeg mijn vader.

Ons antwoord, welk antwoord dan ook, interesseerde hem niet in het minst. Als we iemand hadden begraven vond hij dat 'heel naar' en als iemand van ons was gepromoveerd vond hij dat 'heel knap' en als we iemand hadden vermoord vroeg hij aan niemand in het bijzonder of dat nu wel verstandig was geweest. In conversatie had hij doorgeleerd.

'Nou ja, die naam doet ook niet terzake,' zei mijn moe-

der, terwijl ze de kastdeuren sloot waarachter het kaartje van het restaurant nooit meer te vinden was. 'We liepen daar om etenstijd,' zei ze.

Wat er was gebeurd was dat ze daar hadden gelopen
en dat ze plotseling de gewaarwording had gehad dat ze
in Frankfort was: dezelfde huizen, muren, iets onbe-
noembaars in de lucht dat identiek was geweest met
het onzegbare dat in Frankfort in de lucht had gehangen. Misschien kwam het door de etensluchtjes, die
hetzelfde roken als die waarin ze over de Bockenheimer
Landstrasse van school naar huis liep.

'Ik weet het niet,' zei mijn moeder, 'het was alsof ik
thuiskwam.'

Het was niet duidelijk wie jaloers was op wie in de Ber-
lijnse jaren van mijn grootmoeder Bettina en haar zusje
Rosa. Rosa kende alle schrijvers en acteurs persoonlijk,
hield er duidelijke politieke opvattingen op na en hoefde nooit voor half vier haar bed uit. 'Noem jij jezelf een
socialiste als je niet eens weet hoe laat je op moet
staan?' schreef Maria Blumenträger uit Michelau, 'dan
is voor hetzelfde geld de arme Pfiffikus een socialist,
want iemand heeft hem "Völker hört die Signale" leren zingen. Elvira heeft kennis aan een jonge luitenant
die zo dom is dat hij spijt heeft omdat hij zijn paard in
plaats van zichzelf bij Verdun door de Fransen heeft laten afslachten. Hij raakt maar niet uitgetreurd over dat
paard. Hoe Elvira daar nog bovenuit moet komen is me
een raadsel. Lina heeft de knoop doorgehakt en gaat in
het voorjaar trouwen met Joseph Mohr, maar ik vraag
me af of we bij dat huwelijk een socialiste als jij kunnen gebruiken, die voor haar beurt de glazen leeg-
drinkt.'

'Schrijft ze nog iets aardigs?' vroeg Rosa onbekom-
merd.

Bettina verkeerde in onzekerheid over hoeveel tijd na dat van haar oudste zusje haar eigen huwelijk kon plaatsvinden en wat haar moeder ervan zou vinden dat ze met een Nederlander kwam aanzetten, die weliswaar al zo lang in Duitsland verbleef dat hij het als zijn tweede vaderland was gaan beschouwen maar daarom toch in 1914 onder de krijgsdienst was uit gekomen, die een paard had verloren noch tot rijkdom was gekomen. Je wist het nooit met Maria Blumenträger.

Intussen werkte Bettina trouw bij professor Dessaur, aan wie haar gesneuvelde eerste verloofde haar had voorgesteld, terwijl Rosa tot diep in de nacht uitging, soms vergezeld door de aanstaande van haar zusje, die ook niet naar bed hoefde wanneer de firma Braun hem weer eens had ontslagen. Eerst werd geprobeerd de oorlogsveteranen aan het werk te krijgen, wier handen zo trilden van de herinneringen aan de loopgraven dat ze elk precisiemechaniek verprutsten. Als er weer zo'n lading op straat werd gezet, klopten ze bij hem aan.

Rosa wilde niet met hem trouwen, maar vond hem goed genoeg als cavalier, en mijn grootvader wilde niet met de loensende Rosa trouwen, maar met het stille zusje Bettina, dat een rustpunt was in de van dag tot dag wisselende stemmingen in de lokalen. Toen het bericht van de moord op Rosa Luxemburg kwam, vulden de kamers in de Bleibtreustrasse zich met mansvolk en sigarenrook; Bettina keek toe hoe haar aanstaande echtgenoot zich vol vuur en overtuiging, maar zonder verstand in de strijd wilde werpen en vond dat het tijd werd hem mee te nemen naar Frankfort, waar mijn grootvader met zijn gouden handen bij dezelfde firma Braun aan de slag kon. Mijn moeder werd verwekt in de revolutiemaand november 1918 en kwam tien dagen nadat de Republiek van Weimar wankel in het zadel was geholpen ter wereld. Als dat haar zenuwen niet op scherp zette.

Mijn moeders brein werkte doelgericht en analytisch, maar zelden praktisch. De moeilijkste wiskundige vraagstukken doorzag ze in een oogwenk, differentialen kenden voor haar geen geheimen, maar als het erop aankwam het lichaam te laten doen wat zij wilde, ontbrak er een coördinaat. Haar fiets had ze, zo gauw ik bij de trappers kon, aan mij overgedaan en nadat ik hem bij het hek van de stadskweektuinen had laten stelen besloot zij rijlessen te nemen. Zij leerde autorijden in een Volkswagen-kever, waarin de ongewenste intimiteit met de instructeur haar tot drie keer toe belette om het examen met goed gevolg af te leggen. Toen ze onafhankelijk van wie dan ook achter het stuurwiel plaatsnam, bleken de praktische vaardigheden minder vanzelfsprekend dan ze voor mogelijk had gehouden.

Mijn vader had de Fiat 1300, die het in de modder van Bregenz zo jammerlijk had begeven, van de hand gedaan ten gunste van een tweede- of derdehands Lancia Aurelia B10, en in vergelijking met het goedmoedige dikzakje van een Fiat bleek deze nieuwe aanwinst het monster van Frankenstein. Ze hoefde maar met haar grote teen naar het gaspedaal te wijzen of het ding sprong als een luipaard vooruit. Bochten konden niet anders worden genomen dan met een snelheid van vijftig kilometer per uur. Inparkeren ging alleen met behulp van een bankschroef en als ze wilde remmen was het onmiddellijk of er drie olifanten tegen de voorruit plaatsnamen.

Het was voor ons elke keer een gemengd genoegen als we haar na school ergens in de stad voorbij zagen komen in de Aurelia, in een te lage versnelling, de motor razend in een te hoog toerental, scheurend door de bochten, blind voor voorrangskruisingen en stoplichten, haar hoofd nauwelijks hoger dan het stuur en zo dicht mogelijk erop, in de volle concentratie die het monster van haar verlangde.

'Je moeder,' zeiden de andere kinderen.

Wat wij voorbij zagen racen was niet mijn moeder die binnenskamers hoog boven ons uit leek te torenen, maar een spookauto bestuurd door Repelsteeltje, die korte metten maakte met alles wat hem voor de voeten durfde te komen.

'Ik heb het gehad met het monster,' zei ze na een paar maanden.

'Je moet minder dan 5000 toeren maken,' zei mijn vader. 'En je moet in de bocht meegaan met je handen aan het stuur, niet doen alsof je met drie ballen aan het jongleren bent.'

'Hoe kan ik nu minder dan 5000 toeren maken in zijn twee?' vroeg mijn moeder.

Misschien heeft mijn grootmoeder haar zusje Rosa in de steek gelaten op het moment dat alles in Berlijn aan diggelen leek te vallen en men in arren moede steeds meer feestte. Misschien was mijn grootmoeder de enige van de vier Bory-dochters met verstand en trouw in haar lijf, wat ze heeft moeten bekopen met te jong en als eerste dood te gaan.

De jongste, Elvira, die met een onderofficier was getrouwd die zijn leven lang om een dood paard jammerde, heb ik nog gekend in de opwindende dagen dat zij heerlijke bak- en braadgeuren produceerde en ons vervolgens 's avonds een pan droge noedels voorzette. Elvira wist op elk gewenst moment kuiltjes in haar wangen te voorschijn te toveren en zodra mijn vader, stoffig en doodop van zijn onbetrouwbare auto's en van ons, bij haar stoeprand arriveerde, snelde ze, een en al kuiltjes en hoed, het huis uit om ons eruit te zetten en mijn vader ertoe te bewegen een ommetje te maken, naar Rückersbach, naar Würzburg, naar Bad Kissingen desnoods. Hoewel Elvira niet naliet mij in het voorbijgaan een kneepje in de wang te geven en zonder het minste blijk van belangstelling te zeggen: 'Genau die Rosa, gell?', vond ik haar van de tantes van mijn moeder het minst interessant. Zo'n dood paard en droge noedels, het leek me de verkeerde combinatie.

Een stuk meer te bieden had 'tante' Lina, de oudste van de vier Bory-dochters, die het had gepresteerd om van een van haar twee aanbidders, de schoenmaker Joseph Mohr, de weduwe te worden en met de andere te hertrouwen. Haar tweede man, 'onkel' Willie, beheerde een groot wijngoed en zette ons, gezeten op een bankje voor zijn 'Wirtshaus im Spessart', ons eerste glas Frankenwijn voor, waar we zo godsliederlijk dronken van werden dat we ons erger gingen gedragen dan de kolenbranderskinderen uit 'die geschiedenis met Bettina'.

Van tante Lina was op het moment van onze eerste dronkenschap niets te bekennen. Wij ontmoetten haar pas een paar jaar later toen ze, door een beroerte getroffen, ons in haar rolstoel ontving met de woorden: 'Die de die je die, und ach, die de je die die die.'

Het was de meest indrukwekkende vrouw die ik ooit heb ontmoet. Met het weinige taalvermogen waar ze nog over beschikte, rangschikte ze ons onmiddellijk in haar hiërarchie van genegenheid, gebood ze wat er voor ons op tafel moest komen, namelijk wat kinderen lekker vinden, riep ze ons op tot gebed en vertelde ze ons de ontzettende geschiedenis van haar eerste man en het arme Duitsland. Daarna verzonk ze in diep gepeins over het lot van de mensen en hun God.

Ze was zo mooi dat de engelen van Tiepolo ervan bloosden, ze was zo sterk dat ze kardinalen in haar badkuip kon laten verzuipen, ze was zo jong dat de geschiedenis opnieuw moest beginnen, met haar witte haren in strengen opgestoken op haar hoofd, haar tere, ongeschonden huid van doorzichtig vliegerpapier, haar levendige zwarte ogen: 'Und ach, die de die de die je die.'

Zo moest Maria Blumenträger eruit hebben gezien, bedacht ik later, op zo iemand hadden Schlomo Nussbaumer en Carl Bory hun hoop gevestigd.

Schoenen

Het geheime wapen waarmee ons kinderen werd geleerd de wereld te lijf te gaan zodra we op vierjarige
leeftijd onze hersenen bij elkaar hadden, waren schoenen. In de geschiedenis van onze kleine gemeenschap
hebben schoenen zo'n overheersende rol gespeeld dat
het een wonder mag heten dat uit ons niet een generatie schoenfabrikanten is opgestaan, die in Mercedessen
en vliegtuigen de beurzen van Milaan en Tokio bezoekt
om het enige product te verhandelen dat onontbeerlijk
is voor het menselijk bestaan. Wij waren zelfstandig op
de dag dat we op de Montessori-kleuterschool hadden
geleerd onze eigen veters te strikken. Tot die tijd werden we elke ochtend door onze ouders op tafels en bu-
reaus gehesen, waarna ze zich verwoed op onze schoen-
riempjes en veters stortten, hun hoofden in haast en
drift gebogen over onze verre, verre voeten, die ons
eigenlijk niet aangingen, waar we zorgeloos afstand
van deden om ons bezig te houden met alle belangrijke
zaken binnen handbereik: het haar van onze ouders, de
wijde lucht die schuimde van plezier en het beertje
waarmee ritmisch de maat moest worden geslagen.

Mijn vader kon het niet schelen welke schoen aan
welke voet kwam, zolang het er maar uitzag of wij van
top tot teen aangekleed waren en aan de dag konden
beginnen. Wij hadden zelf geen idee van links of
rechts en pas als er boven onze hoofden een ongeduldi-
ge strijd losbrak over hoe wij geschoeid waren, keken

wij beteuterd naar die twee voorwerpen, waarvan we niet beseften dat ze ons eigendom waren, onze voeten.

Maria Blumenträger had in haar onschuld wellicht gehoopt dat hoeden het bindende element van haar nageslacht zouden zijn, maar toen er in het hoedenatelier aan de Rossmarkt een lampenwinkel werd gevestigd vervloog haar illusie en twee wereldoorlogen later, toen Maria Blumenträger allang van de aardbodem was verdwenen, bleken schoenen de plaats van hoeden te hebben ingenomen. Het was nota bene haar oudste, meest trotse dochter Lina die daar de aanzet toe gaf door in het huwelijk te treden met Joseph Mohr, eigenaar van de Schuh-Mohrwinkel in de Domstrasse te Würzburg.

Een eerste inzicht in het belang van schoenen kregen we toen mijn moeder ons, om te passen en te meten, meenam naar een van de vele schoenwinkels in de hoofdstraat van onze kleine stad. Bij de Bata of Van Woensel was het verboden naar binnen te kijken. Mijn moeder kon in hevige opwinding raken als ze alleen al langs de etalageruiten van die zaken liep. Daar verkochten ze inferieure kwaliteit, wij gingen naar de betere winkels, waar mijn moeder het de verkoopsters lastig maakte. Ze bekeek de binnenkant van een schoen met zo'n intensiteit dat het winkelpersoneel haar tot voorzichtigheid moest manen.

'Als die schoen dat al niet kan hebben kan men er ook geen duizend kilometer op lopen,' zei mijn moeder tegen de verkoopster.

Wij keken elkaar aan, wij waren niet van plan duizenden kilometers te lopen, waar zouden we heen moeten, zo ver van huis? Het winkelpersoneel observeerde ons peinzend: arme schapen. Voor mijn moeder stond 'duizenden kilometers' voor een fatsoenlijk leven, of zoiets.

Zelf had ze 'moeilijke' voeten. Geen pedicure die daar

iets tegen vermocht, die maakte het alleen maar erger. Een keer per jaar reisde ze met mijn vader naar Schuh-Mohr in Würzburg, waar ze met haar nicht Else Mohr het probleem doornam, de enige die de omvang ervan begreep. Van die tussendoor-reisjes kwam ze terug met stapels schoenen voor zichzelf. Ze had met Else nachtenlang doorgepraat over hun beider handicap en Else had mijn moeder alle schoenen waar ze 'geen stap meer op kon verzetten' cadeau gedaan. Omdat onze 'tante' Else een halve maat kleiner had dan haar nicht Ilna, leek het ons dat haar vrijgevigheid het probleem van mijn moeder alleen maar vergrootte, maar mijn moeder was elke keer zo verguld met haar 'als nieuwe' schoenen alsof er een nieuw leven voor haar was aangebroken.

Würzburg was voor ons de plaats waar al het heil vandaan kwam.

Hier verschijnt mijn tante Else ten tonele, wier nagedachtenis mij zeer dierbaar is en die, als ik het voor het zeggen had gehad, best mijn grootmoeder had mogen zijn, of sterker nog, mijn moeder.

Tante Else maakte haar opwachting bij ons op het moment dat mijn vader en mijn moeder last kregen van het fatsoen dat ze hadden verworven, en het was of het Wirtschaftswunder zelf onze tuin binnenviel, toen we daar met z'n allen chagrijnig maar goed geschoeid de vrije zondag aan het vieren waren. Er werd ergens in de straat getoeterd, een geluid dat toen voldoende was om de hele parochie in staat van opwinding te brengen, en om de hoek verscheen een witte DKW F91 'Sonderklasse', een gezellige tweetakter met open dak, waaruit vreemdelingen uitbundig naar ons zwaaiden totdat mijn moeder uit haar lethargie ontwaakte en riep: 'God, dat is Else!'

God, dat is Else, met die zin kwam een overweldigende hartelijkheid ons leven binnen, die door niets of niemand ooit is overtroffen.

Het was de zomer dat ik er voor spek en bonen bij liep in mijn leven. Alles bloeide en groeide, de eenden in de vijver voor het nieuwe huis dat we hadden betrokken schaterden de hele dag om de grappen die ze elkaar vertelden, maar ik stond aan het begin van een lange periode waarin mijn domheid geen grenzen kende. Vlak voor de zomer was ik vanwege verregaande emotionele ongeschiktheid teruggezet van de klassikale eerste klas naar de Montessori-kleuterschool, waar ik een jaar eerder van af was gestuurd omdat ik te geniaal was voor mijn leeftijd. Als vierjarige kon ik de duizendketting leggen en het woord 'vliegmachine' foutloos schrijven, en dat bracht de kleuterleidsters tot zo'n staat van onrust dat ze zo snel mogelijk van me af wilden en ze me een jaar 'te vroeg' in de banken van de Grote School zetten. Twee maanden voor de zomervakantie zond de juffrouw van de eerste klas mij retour omdat mijn cijfers weliswaar tot de hogere van de klas behoorden, maar mijn karakter haar niet beviel, of mijn ogen niet, of omdat ze het kind van een Duitse moeder niet wilde bevoorrechten, want in die tijd had de hele provinciale stad waarnaar we verhuisd waren in het verzet gezeten, en hoewel mijn moeder foutloos Nederlands sprak en alleen wat stuntelde met vaderlandse gezegdes en spreekwoorden, was haar accent te sterk om geen weerstand op te roepen zodra ze haar mond opendeed.

Ik was dus voor het eind van het schooljaar teruggezet en daar had iedereen veel plezier van. Ik kon vanaf dat moment mijn mond niet opendoen zonder te worden aangestaard als zijnde spuit nummer elf. Ik begreep het wel, iemand die het binnen een jaar klaarspeelt om van genie tot dom gansje uit te groeien had niet veel recht van spreken. Ik hoefde ook niet meer zoveel te zeggen, want de zes jaren daarop werden van dag tot dag in het klaslokaal zulke waanzinnige verhalen opgedist dat het mij wenselijk leek daar geen verstandig woord tegen in te brengen. Lezen, schrijven en rekenen kon ik al en de rest van de tijd, die werd gevuld met riten en mythes van het roomse leven, vervulde mij alleen maar met verbazing.

Zo was er het verhaal van Maria Goretti. Maria Goretti werd in het jaar 1953 heilig verklaard omdat ze zich hevig te weer had gesteld tegen een jongen die met haar aan de kant van de weg de zonde van 'onkuisheid' wilde doen. Een heel jaar lang bezongen de nonnen die ons les gaven de moed en schoonheid van Maria Goretti en plakten ze, als beloning voor onze prestaties, om de haverklap bidprentjes van Maria Goretti in onze schoolschriften, en toen ieder van ons een eigen 'vormheilige' moest kiezen, dacht ik, vooruit ik kies Maria Goretti, daar doe ik ze een plezier mee. Nog geen twintig jaar later werd Maria Goretti officieel door Rome van de heiligenlijst afgevoerd, dus wat leerden we daar nu eigenlijk? Ik las met instemming dat Mowgli er het zwijgen toe deed en alleen de taal van de wolven sprak, en dat hij zich voorbereidde op de tijd dat hij Shere Kan moest doden.

Middenin die zomer van chagrijn en voor altijd uitgestelde rechtvaardigheid viel tante Else onze tuin binnen, met in haar kielzog een fotograaf, wie ze opdroeg ons in alle mogelijke combinaties en standjes op de foto te zetten, in het gezelschap van een jonge man die haar chauffeerde, vol van naar alle kanten openbarstende energie, en ik dacht: dit is tante Rosa. Tante Rosa is van de hemel teruggekeerd. Ondanks alles twijfelde ik toch weer aan de onjuistheid van de leerstellingen van school.

Maar mijn moeder zei: 'God, dat is Else,' en bracht de wereld weer terug tot de juiste dimensies.

Tante Else was een volle nicht van mijn moeder. Toen ze vijfendertig jaar oud was, was ze met haar moeder Lina Bory, getrouwd met Joseph Mohr, onder de puinhopen van het geallieerde bombardement op Würzburg vandaan gekropen en had ze Schuh-Mohr in de Domstrasse uitgebrand aangetroffen. Geen schoen meer te bekennen, zelfs de schoenlepels waren in rook opgegaan.

Ze keek links en rechts de Domstrasse af, rechts de Dom in puin, links de Mariabrücke over de Main uit zijn voegen. Over een pontonbrug reden Amerikaanse legerauto's af en aan. Er was paniek in de straat, overal laaiden brandjes op, mensen liepen dwaas alle richtingen op. Else besloot te redden wat er te redden viel, sleepte wat huisraad de geïmproviseerde brug over, naar de overkant van de rivier, naar de groene heuvels die ongerept op de brandende stad neerkeken. Fords met een witte ster op het portier drongen haar van de weg, soldaten riepen naar elkaar in een taal die ze nauwelijks verstond, zware zuchten ontsnapten de brandende Dom en van de heiligenbeelden op de Mariabrücke plonsde het een na het andere gewijde hoofd in het water van de Main. Else dacht: *meine Schwester ist schön, ich bin praktisch* en zeulde en sleepte met het gespaard geblevene tot ze dacht dat ze erbij neer zou vallen. Alleen het lievelingsstoeltje van haar moeder moest nog worden gered, een gebloemd biedermeiertje, dat zich niet veel van de commotie had aangetrokken.

Hoewel het haar langzaamaan onmogelijk werd gemaakt langs de binnen denderende troepen te komen, had ze een helder beeld voor ogen van haar moeder, die straks vanuit haar comfortabele positie op de andere oever geheel in de traditie van Maria Blumenträger zou zeggen: 'Je had al die waardeloze dingen van je vader kunnen laten staan. Het enige waaraan ik gehecht was, was dat stoeltje.'

Ze begon voor de zoveelste keer de tocht stadinwaarts en net toen ze over de brug was, zag ze het stoeltje op het plein van het raadhuis staan. Een zwarte GI had erop plaatsgenomen om op de typemachine op zijn knieën het rapport van de dag te tikken. Het gebloemde stoeltje en de GI waren de enige twee rustpunten in het gekkenhuis waarin de stad was veranderd.

'Hi, miss,' zei de soldaat toen ze besluiteloos voor hem bleef staan. Hij lachte naar haar met een ongelofelijk gaaf gebit, waarmee hij op bleke kauwgom kauwde. Het was de eerste kauwgom die ze zag. Ze probeerde hem duidelijk te maken dat hij op haar moeders stoeltje zat, maar kwam niet uit haar woorden.

'No tresspassing,' zei hij vriendelijk en zij vluchtte voor deze onbegrepen woorden weer terug de brug op, hollend totdat ze aan de veilige kant van de rivier zou zijn, en toen ze halt hield, merkte ze dat ze over haar hele lichaam trilde. Ze wist niet dat een mens zo zwart kon zijn. Haar wereld was definitief veranderd.

Else, 'tante Else', vertelde ons dit verhaal toen ze vijfentwintig jaar later haar moeder Lina had begraven, die ze de helft van die tijd in een rolstoel had voortgeduwd, precies zoveel van het 'die die de die die je die' begrijpend als haar uitkwam. Ze sommeerde mij, als een bijzondere afsplitsing van ons 'wij', naar Würzburg te komen, en zoals mijn grootmoeder mijn moeder naar Positano stuurde in plaats van mijn geëmmerde oom, zo stuurde mijn moeder voor alle zekerheid mijn zusje Engel mee. In het begin van onze treinreis was Engel humeurig. Ik ging met alle plezier naar Else, maar zij was weerspannig. Ze was niet dol op Else, omdat die onze tuin was binnengevallen op het moment dat Engel als eenmaandsembryo nog niet haar altijd kritische mening had kunnen geven.

'Waarom ga je dan mee?' vroeg ik in de trein.

'Ik ben blij dat tante Lina er niet meer is,' antwoordde Engel, 'dat was me te veel van het goede.'

Dat was onzin. Lina, die de vossen nog voor de open calèche had gemend, was de laatste tien jaar van haar leven als een lelietje-van-dalen geweest, zo mooi, zo teer, met blosjes op haar doorschijnende wangen, als een meisje dat het praten had verleerd. Else had voor haar moeder dan wel niet het biedermeierstoeltje kunnen redden, ze had haar met rolstoel en al heel Italië laten zien, en de Côte d'Azur en alle dalen van Zwitserland, en Lina had tot aan het eind van haar dagen van blijdschap gezongen: 'Die die de die die je die.' De arme Pfiffikus kon er jaloers op zijn.

'Vroeger werd ik erop uitgestuurd als de lijken nog opgebaard lagen,' zei ik in de trein tegen Engel.

Engel giechelde. 'Dat staat me nog levendig voor ogen,' zei ze.

Ik wilde aan beroerde dingen uit onze kindertijd niet te veel woorden vuilmaken. Ik begreep wel dat mijn moeder niet zozeer vreesde dat Else mij allerlei verhalen zou vertellen, als wel dat ze bang was dat ik van alles zou verzinnen, bijvoorbeeld zoiets als dat van die papegaai die meegenomen was naar een openluchtconcert om de eerste maten van de Vijfde van Beethoven te leren fluiten.

Van het Witschaftswunder dat tante Else in persoon vertegenwoordigde hadden wij al een glimp opgevangen in de tijd dat wij 's morgens voor school bij mijn moeder onder het 'loempenbed' mochten kruipen. In ons huishouden gebeurden veel dingen anders en het feit dat wij onder donzen dekbedden sliepen terwijl de rest van Nederland stijf in lakens en dekens lag gesnoerd, was er een van.

Mijn moeder was haar hele leven lang verzot op films en mijn vader, die tot op zijn tweeëntachtigste jaar geen sou heeft gegeven voor een beeld dat een verhaal vertelt, alleen ontzag had voor woorden die echo's opriepen waar geen andere woorden voor bestaan, had de televisie weten te weren totdat wij allemaal het huis uit waren. In de tijd dat zij hem nog zo ver kreeg dat hij met haar naar de bioscoop ging, vertelde zij de ochtend daarop de films na aan ons, met z'n allen verzameld onder haar loempenbed. Een van die films was *Wir Wirtschaftswunderkinder*, een satire uit de Bondsrepubliek, waarvan ik me het fijne niet kan herinneren.

Ondanks het feit dat ze zelden of nooit iets over haar verleden losliet, was mijn moeder een geboren verteller. Ergens naar vragen was uit den boze, maar des te toeschietelijker was ze als het ging om het voorlezen uit een boek, of het navertellen van een film. Zo konden wij *Roman Holiday*, *Mon oncle*, *The Man Who Knew too Much*, *Rear Window*, *Es geschah an hellichtem Tage*, *On the Beach*, *Le salaire de la peur* wel dromen, nog voordat we een centimeter celluloid voor ogen hadden gehad.

Haar vertelkunst voerde ons in een gesloten koets over een holle weg, langs opgestapelde stenen muurtjes met mos begroeid, langs kloosters en ridderhoven, door het donker van dicht opeen groeiende bomen die knarsten en kraakten van wat er allemaal langs was gekomen, slechte en gevaarlijke mensen samenzwerend onder hun mantels, eenzame zielen zonder een ander doel dan hun dood, schimmen die uit de mist opdoken – en dan weer draafden paarden in het plotselinge, volle zonlicht langs vlas- en korenvelden, waartussen blauwe bloemen waren gestrooid, over bruggen die glasheldere beken overspanden, tot in de steden waar het wemelde van burgers en kooplui uit Arabië. Altijd was er iets wat het daglicht niet kon verdragen, geheimen die moesten worden bewaard op afgelegen eilanden, harten van glas, glazen doodkisten, mechanische zangvogels, soldaten van Napoleon, staven en bokalen.

Van *Mon oncle* begrepen we de lol niet.

Haar taal vergat zichzelf als ze vertelde. Ze werd een eigen mengelmoes van Nederlandse en Duitse woorden, zegswijzen en spreekwoorden gecombineerd, zinswendingen verhaspeld tot schijnbaar onneembare bochten in de weg, ze daalde en steeg zonder buiten adem te raken en al zingend en klingend bereikte ze de open plekken in het bos, waar de woorden moesten uitrusten. Ademloos gedoken onder het loempenbed reisden we mee.

De films speelden zich af tussen mensen als zijzelf en mijn vader, maar de dieper verscholen verhalen die ze ons vertelde kwamen uit de gekleurde boeken met gotische letters, drie delen sprookjes, van Andersen, Grimm en Hauff, die ze vertaalde terwijl ze las, een taal scheppend die op geen school kon worden geleerd, die onze vroegste herinneringen vormde aan de prinsessenstem van Audrey Hepburn, het slordige boevengeluid van Yves Montand en het valse eunuchenstemmetje van Heinz Rühmann.

Een van de verhalen uit de gotische boeken was 'Das Wirtshaus im Spessart'. In de herberg, onder de zware balken met de gerookte hammen, diste men verhalen op van gauwdieven en duivelspacten. Een Wirtschaftswunder kwam er niet aan te pas; het bleef ons onduidelijk wat dat voor een mirakel was. Totdat tante Else met haar dikke fotograaf uit de witte DKW stapte en onze tuin vulde.

Else was een kleine, gezette vrouw, wier aanwezigheid onmiddellijk imposant was. Ze had ravenzwart haar, zeer donkere ogen en een donkere huid, die waar ruimte was met edelmetaal was beplakt. Ze was zo aanwezig dat de uitbundig uit hun kluiten groeiende hortensiastruiken erbij ineenkrompen tot anemoontjes. Ze legde zonder omwegen beslag op de uren van de dag, maakte plannen, vertelde reisverhalen, sloot ons telkens opnieuw in haar armen en lachte en lachte, omdat alles wat ze aanraakte van goud werd en ze zichzelf niet serieus kon nemen, zichzelf liever bij voorbaat ezelsoren opzette en daarover weer zo moest lachen, dat ze vergat wat haar werd voorgezet te vergulden en ze zich te goed deed aan taart en wijn.

Voor ons had ze niets meegenomen, maar voor onze ouders Ilna en Joseph werden ladingen 'Bocksbeutel' uit de DKW gedragen, Marktheidenfelder Kreuzberg, Müller-Thürgau, Frankenwijn waar wij een slokje van mochten als voorproefje op de verrukkelijke vergetelheid die later ook voor ons was weggelegd.

Zo was ze gekomen, zo was ze weer vertrokken, tante Else, en wij begrepen voor het eerst dat de Duitsers altijd zo dik waren omdat ze de hele dag zaten te eten en te drinken en dat dát nu het Wirtschaftswunder was.

'Hoe kom je er nu bij dat Else dik was?' vroeg mijn moeder, 'ik ben wat aan de gezette kant de laatste jaren, omdat ik die artrosepillen moet slikken, maar Else toch niet? Ze was juist heel elegant.'

Elegant was ze zeker. Ze droeg met zwier autoriteit uit, waardoor ze langer leek dan ze in werkelijkheid was. Ze droeg de eenvoudigste maar duurste kleren. Ze reed in haar auto's met één geschoeide hand aan het stuur, de loze glacé als een verlept bloemetje in diezelfde hand. Pompbediendes en winkelpersoneel vlogen voor haar, ze had de wind eronder bij de meisjes van Schuh-Mohr die haar schoenen aan de man brachten, ze betrad met blote schouders de premières in de Scala te Milaan.

Maar mijn moeder was in die tijd zo dun als Scarlett O'Hara en mijn vader zag eruit of hij nooit genoeg te eten kreeg, en die twee mensen, zo ver weg in het verleden alweer, kibbelden en lachten met elkaar en sloofden zich uit om ons te eten te geven, voor ons tweedehands fietsen te kopen of schaatsen, om zeepkisten voor ons te bouwen en ballettutu's te stikken. Ze zijn met hortensia's omhangen in die tunnel, waarin het licht achteruitloopt, ze zijn achteloos jong en mooi, ze worden opgetild door de windveren van de tijd. Zo nu en dan komen ze voorbij, gearmd, of over het dak van de auto heen met elkaar ruziënd, of vanuit een raam lachend naar elkaar zwaaiend, twee mensen met wie wij niets te maken hebben, die het hebben gewaagd, die de sprong hebben gemaakt en elkaar vast willen blijven houden in de ballonvaart − en dan zijn ze weer voorgoed verdwenen in de voorbijflitsende uren, en uit het zicht.

'Joseph, zeg jij nu eens, was Else dik? Sterk ja, maar dik?' riep mijn moeder.

'Ik weet van niets,' zei mijn vader vanachter zijn pijp, 'ik heb nooit naar een andere vrouw omgekeken dan naar je moeder.'

Hij had het afgeleerd iets te weten. Zijn temperament had op den duur voor dat van mijn moeder moeten buigen. Hij gaf al decennia alleen de gewenste antwoorden.

'Niet liegen,' lachte mijn moeder.

Wer einmal lügt, den glaubt man nicht, und wenn er auch die Wahrheit spricht, dat zong ze dag in dag uit in onze oren en zo werden wij kinderen die nooit meer de

waarheid kónden spreken, zelfs al hadden we het gewild.

De dagen woeien om onze oren. We gingen naar school,
we kregen straf, we stroopten de weilanden af op zoek
naar een geschikt clubhuis, we celebreerden eens een
speelgoedmis op zolder, we kregen eens een ijsje. Alles
had zijn plaats, alles ging stap voor stap vooruit, met de
regelmaat van de koperen slinger van onze klok, van
dag tot dag droegen wij onze eenzaamheid en schikten
we ons in de doelloosheid van dingen die moesten gebeuren. Waarom alles was zoals het was, daar hadden
we geen idee van.

Onze ouders waren niet gehouden aan alle geboden
en plichten en we zagen ze 's avonds met lede ogen vertrekken, naar de schouwburg, naar een diner, naar een
ontvangst, gekleed als filmsterren, met de gebaren van
filmsterren ons vaarwel wuivend in een wolk van Cha-
nel no. 4 – en weg waren ze. Wij verschoonden de baby
en kropen op zolder bij elkaar in bed, de baby tussen
ons in. De wind raasde om het dak, de zolderraampjes
klapperden, de trap kraakte, beneden in het huis werd
al het zilver buit gemaakt en wij vertelden elkaar het
eindeloze verhaal van het schoenmakertje, een verhaal
dat uit het niets was ontstaan en dat nergens naartoe
leidde, dat eeuwig voort kon duren, waarmee we door-
gingen totdat de laatste van ons in slaap was gevallen.
We klampten ons aan het schoenmakertje vast als was
hij onze laatste kans op redding, en hoe gewoner zijn
lotgevallen waren, dat hij van zijn krukje viel, dat hij
een pleister op zijn bil kreeg, hoe meer we van hem
hielden. Zonder het schoenmakertje hadden we het
niet overleefd.

Soms vertrokken ze voor een week. Dan kwam er iemand in huis van wie niemand van ons de naam heeft

onthouden, dan deden we of we niet bestonden, of we van lucht waren gemaakt en ons konden verplaatsen zonder aan iets of iemand rekenschap af te leggen. Het was altijd in de maand mei dat ze afreisden, als mijn moeder haar twee avondjurken van de stomerij had gehaald, ze in vloeipapier had gevouwen en ze met nauwelijks verhulde tederheid in de koffer legde. Mijn moeder had een zwartfluwelen avondjurk, met diepe hals en halflange gerende rok, en een van vuurrode kant op tafzijde, met veel uitwaaierende rode rokken en een 'strapless' lijfje, waarin ze op de Carmen van Bizet leek.

Net als destijds haar vier weken in Positano behoorden de 'Mozartfeste' in Würzburg tot het mooiste wat ze zich kon voorstellen. De klokken van de Augustinerkirche, de Neumünster en de Dom luidden om het hardst. Maria Blumenträger zou hebben geprotesteerd, maar mijn moeder was er verrukt van. In de tuinen van de Residenz stond alles in bloei, uit de openstaande ramen klonk de hele dag muziek. Het was een komen en gaan van binnen- en buitenlandse gasten op de trappen, het stralende wolkendek scheurde open en tientallen engelen van Tiepolo zongen mee, loofden de jaargetijden en de continenten, buitelden in het onbehoorlijkste blauw over elkaar heen en sleepten linten in hun vlucht mee, waarop de beloftes geschreven stonden van schoonheid en het eeuwige leven in de stralen van de hemel, zilver blonk het aan de horizonnen en ergens uit die lichtgevende vertes was Mozart de trappen komen afdalen als de schenker die de glazen vol Bacchus en Scheurebe schonk, wijn die niet te onderscheiden was van de muziek, spetterend van licht, verraderlijk van diepte – en alweer vergeten en vergeven was alles en opnieuw muziek.

Van die 'Mozartfeste' bracht ze twee wonderen mee naar huis. Het eerste wonder was dat de trappen van

het trappenhuis van de Residenz door bouwmeester Bal-
thasar Neumann zo waren gemaakt dat je er niet op liep,
maar op zweefde en het tweede mirakel was dat er in de
grote tuin van Else een douche was, tussen een paar
struiken, waar je bloot onder kon gaan staan zonder dat
iemand je zag.

Wat voor trappen moesten dat wel niet zijn.

De eerste keer dat wij met de Fiat 1300 met de witte
banden, die het in Bregenz zo goed als definitief had
begeven, Duitsland doorkruisten op weg naar het Lago
Maggiore, keken we onze ogen uit naar de puinhopen
van de oorlog.

De eerste week werd de ene helft van ons achtergelaten bij een achterneef, die schoolhoofd was in een
mestdorp van oorlogsinvaliden en ossenwagens, de andere helft werd ondergebracht bij 'tante' Elvira in
Aschaffenburg, die ons droge noedels voorzette, en haar
man, die eindeloos 'Sur le pont d'Avignon' voor ons op
de piano speelde om te laten weten dat hij over dat achtergebleven paard in 1918 heen was en de laatste oorlog
maar oversloeg.

Wij niet. Elke ochtend moesten wij een emmertje
melk halen bij het vrouwtje onder de spoorbrug, dat
elke ochtend niet begreep wat we kwamen doen. Ze
woonde in een soort kolenhok waar de sintels uit de ko-
lenwagens boven haar hoofd naar beneden vielen en
het was een wonder dat haar melk nog wit en schuimig
was. Hier en daar vertoonden de straten holle huizen en
verloren muren, en alles was met een grauwsluier van
kolengruis overdekt, vergeten, onbewoonbaar verklaard,
achtergelaten zonder dat iemand ernaar omkeek. De
speelgoedwinkels waren voorgoed gesloten en geen
klok luidde meer. Wij liepen dicht opeengepakt door de
bruinkoolstraten met de doodshoofdhuizen en het em-

mertje melk klotste tussen ons in, wij weeskinderen die nergens bij hoorden.

We waanden ons pas veilig als we de zuidkant van de Alpen hadden bereikt en het langzaam naar beneden ging, totdat we de eerste palmbomen zagen en de huizen er begonnen uit te zien of er een goedgemutste mensheid in woonde die er geen kwaad in zag naar ons te zwaaien of gekleurde rietjes in limonadeflesjes te steken. Wie het eerste het meer zag, dat blauwgroene water dat jarenlang ons enige gelukkige element zou zijn, dat geen tijd en duur kende, waarover nooit de wind joeg, mocht de eerste dag zwemmen met de duikbril, die de hele reis achterin de auto hectisch van hoofd was gewisseld, hoewel mijn moeder ons waarschuwde dat je eczeem kreeg van het dragen van een duikbril op het droge.

Het probleem van de schoenen kende aan de zuidelijke kant van de Alpen een variant. Uren-, dagenlang lagen we half bloot loom uitgestrekt op de rotsen aan de waterkant te kijken naar het spiegelgladde water, naar de eeuwige stilte van de bergtoppen in het noorden, waar we nooit meer overheen terug wilden. Soms sprong een van ons in het water en verstoorde de stilte met uitbundig geroep, maar niets kende een noodzaak of een tijd.

Als we weer de berg op klommen, omdat we honger hadden of omdat de zon het water niet meer genoeg verwarmde, droegen we donkerblauwe gympen met witte randen en veters, en onze ouders hadden er, ondanks onze herhaalde pogingen het hun aan het verstand te brengen, geen idee van hoe vernederend het was om spierwit uit het noorden te komen in een auto die aan alle kanten knetterde en stoomde en dan op donkerblauwe gympen met veters te lopen. Espadrilles wilden we, net als de kinderen uit de andere huizen, van die flodderige, afgetrapte lappen aan je voeten, alsof het je geen donder kon schelen dat je maar voor de duur van een zomer in een huis woonde, waar je om de haverklap je rug moest laten insmeren met Ambre Solaire. Nog begerenswaardiger dan espadrilles waren de houten sandalen met leren riem om de wreef, waarmee je klepperend over de keien kon rennen, die, als je ze afschopte aan de rand van het water, een witte band achterlieten op je bruine voet ten teken dat je er was, dat je erbij hoorde, bij het zuiden waar je druiven bij kilo's tegelijk in bruinpapieren zakken kocht.

Slechts één jaar zwichtte mijn moeder voor ons zacht opgevoerd dwingen en liepen we met de houten kleppers. Totdat een van ons op een bergpad een enkel verzwikte en mijn moeder ons spoorslags meesleurde naar Locarno, om in godsnaam dan maar touwschoenen te kopen, met veters, omdat die tenminste nog enige steun aan de voeten gaven. Touwschoenen met veters, een ergere schande kon ze ons niet aandoen, dan liepen we nog liever op donkerblauwe gympen.

Op de terugweg, zo werd ons beloofd, zouden we langs Schuh-Mohr gaan om ons allemaal fonkelnieuwe schoenen van kwaliteit aan te laten passen.

Tante Else had een fortuin gemaakt met haar schoenen. Toen ze het stoeltje van haar moeder voor het raadhuis had achtergelaten zag ze een schip, dat door de Amerikanen was geconfisqueerd en bevracht was met kurk, die bedoeld was om de Duitse bunkers te isoleren. Het lag doelloos en vergeten aan de kade.

Else keek naar haar moeilijke voeten met het laatste paar doorgesleten schoenen en overpeinsde hoe heel Duitsland op onbruikbaar schoeisel liep en hoe van de schoenwinkel van haar vader alleen nog de gietijzeren kassa overeind stond. Ze overwon haar angst voor zwarte militairen en wist door te dringen tot de burelen van de Amerikaanse officieren, die hoog op de berg in de vesting Marienburg resideerden. Wat zich daar precies heeft afgespeeld vertelt het verhaal niet, maar bij één officier kreeg ze het voor elkaar dat hij zich goed met haar amuseerde, althans dat ze samen vreselijk hadden gelachen, dat ze al lachend de trein naar het hoofdkwartier in München hadden genomen om daar met een nog hogere officier nog harder te lachen. De tranen liepen Else over de wangen als ze eraan terugdacht.

De wagon waarin ze van Würzburg naar München stoomden was de privé-wagon van Goebbels geweest. Else had haar ogen niet kunnen geloven. Jarenlang was alles wat de Duitse burgers bezaten verkwanseld voor eten, opgestookt, voor een habbekrats verkocht aan gauwdieven, hele huishoudens waren teruggebracht tot grauwe mensen in grauwe kleren tussen grauwe muren. Hier, in de wagon van een van de 'doodsmeesters' van Duitsland, zat ze in met zwaar trijp beklede fauteuils, draaide een koffergrammofoon 'Johnny, wenn du Geburtstag hast' en hoefde je maar tegen de mahoniehouten kastdeurtjes aan de wand te tikken of er sprong een dienblaadje naar buiten met twee kristallen glaasjes en een fles Asbach Uralt. Else was vijfendertig en ze had nog nooit Asbach Uralt geproefd, maar ze weigerde het te proberen. Zoveel luxe was er midden in de oorlog geweest, dacht ze verbaasd.

De Amerikanen gaven haar zonder slag of stoot de lading kurk cadeau. Godzijdank hadden ze elkaar onder alle lachbuien door goed kunnen verstaan, ook omdat in het Engels en in het Duits het woord voor kurk hetzelfde was, met een Franse geallieerde macht was het lastiger geweest, bedacht ze later. De Amerikanen hadden er wel lol in, 'give the lady the cargo she wants so badly', kon hun wat schelen wat Else met het materiaal wilde doen, kwaad kon het niet.

Else maakte er schoenen van. Schoenen met kurken zolen, duizenden paren schoenen voor het Duitse volk. Ze legde haar patent vast bij het Octrooibureau, elk paar kurken schoenen in de wereld komt uit het brein van Else. Ze werd een van de eerste exemplaren van het Wirtschaftswunder. Ze trok de winkel in de Domstrasse opnieuw op, ze liet een eigen huis bouwen, ze liet een buitendouche in de tuin aanleggen, ze vestigde filialen van Schuh-Mohr in Baden-Baden en Bamberg, in Hamburg en Milaan. Mocht er nog eens een oorlog uitbreken, dan had zij schoenen genoeg om van de plek des onheils weg te lopen, zo ver haar voeten haar konden dragen.

Er kwam geen oorlog meer, ze kon vrijelijk beschikken over schoenen in alle kleuren en maten, maar het probleem van hun moeilijke voeten bleef mijn moeder en Else tot in lengte van dagen kwellen.

Over smokkelen hoefde men ons niets wijs te maken. Wij exporteerden niet zonder accijnzen te betalen, wij importeerden. Mijn moeder zag er geen heil in blikken bonen of aardappelen op vakantie mee te nemen, ze was zelfs niet van plan fatsoenlijk voor ons te koken als ze aan het Lago Maggiore was. In het zuiden zijn moeders makkelijker. Ze was, al was het op het nippertje, zo'n twintig stappen van de Italiaanse grens, in het land van Knorr. Ze smeet de spaghetti uit de pan, gooide er een blik gepelde tomaten over en bestrooide het geheel met een busje Aromat. Eén korrel Aromat op de tong en alle lange zomers aan het Lago Maggiore vouwen zich weer open, als de bouwplaten die uit een kinderboek oprijzen wanneer je het opendoet. Die platen kennen geen klokken, de stilstand heeft het er voor het zeggen, de onveranderlijkheid, dat wat gevangen is en meegedragen wordt, voorzichtig, omdat de boel gaat scheuren als je eraan trekt. Laten we aannemen dat we er nog iets van hebben heel weten te houden.

Wij importeerden. Op onze thuisreizen naar het noorden werden onze voeten doorgelicht in de Domstrasse te Würzburg. Schuh-Mohr had het vertrouwen in het schoenmakersoog van de verkopers en verkoopsters opgezegd en was de naoorlogse tijd in gesprongen met de modernste röntgenapparatuur, die preciezer dan welk menselijk oog ook onze in een groene lichtzee gedompelde voeten opmat voordat ons de juiste schoen kon worden gepast. Röntgengeregistreerde voeten die in een kaartsysteem werden opgeborgen hadden we plotseling, zodat we de eerste kinderen waren wier hoogstpersoonlijke eigenschappen in een databank terechtkwamen. Het eerste stuk persoonlijkheid dat we inleverden was ook het eerste geweest waarmee we zelfstandig waren verklaard, onze voeten.

Uren na de dolle tijd in de hypermoderne winkel van Schuh-Mohr, waar de stoeltjes voor kinderen de vorm van olifantjes hadden, olifant Schuh-Mohr, het van Hamburg tot Milaan bekende handelsmerk, het koninkrijk van Else, haar uit oorlogsmateriaal opgetrokken kurk- en goudmijn, bereikten we de Nederlandse grens. Wij zaten doodstil, verstijfd van angst, onze knieën hoog opgetrokken ter wille van de bergen gloednieuwe schoenen, op maat en afwijking aangepast, twee paar voor elk van ons en een stuk of tien paar voor mijn moeder, ergens onderweg uit de dozen gehaald en losjes over de bodem van de Fiat 1300 verspreid. Hier werden twintig paar schoenen de grens over gesmokkeld, zonder invoerrechten van het ene land naar het andere over de gevaarlijke scheidslijn geheveld, illegaal en strafbaar en nog voordat de douanebeambte zijn hoofd naar binnen stak met de vraag of we nog iets hadden aan te geven, kwaakte het van de achterbank: 'Alleen drie potjes Aromat voor op de eieren.'

De tekst had ieder van ons honderd keer in het hoofd gerepeteerd, en de man met de pet glimlachte naar ons en salueerde dat we door konden, wat zijn drie potjes Aromat nu helemaal, om pas tot het besef te komen dat het in die auto niet naar Aromat had geroken maar naar spiksplinternieuw leer wanneer hij alleen nog maar de achterlichten van de Fiat 1300 zag verdwijnen in de regen.

'Weer gehaald,' zuchtten wij teleurgesteld en mijn vader knikte in de achteruitkijkspiegel: 'Goed gedaan, jongens!'

We reden het natte land binnen. We waren verzekerd van goede schoenen, ons kon niets meer gebeuren.

Das Wandern ist des Müllers Lust, zong mijn grootvader als wij hem stoorden bij het tekenen van het tuinhuis om onze nieuwe schoenen te laten zien. Wanneer hij bij ons logeerde boog hij zich over het steeds veranderende, wegens te hoge kosten nooit gebouwde, eeuwige tuinhuis, dat hij keer op keer tot de grond toe afbrak met berekeningen in de kantlijn. *Das Wandern, das Wa-han-dern.*

Kort na de begrafenis van Elses moeder 'tante' Lina, die met een welgemoed die-die-de-die-die-je-die afscheid had genomen van haar rolstoel en haar broze botten aan de aarde had toevertrouwd, kwam mijn moeder in opstand tegen het feit dat de zo goed als nieuwe schoenen van haar nicht Else die ze jaarlijks overnam altijd een halve maat te klein waren.

Plotseling had Else het verbruid en reden we in de derdehandse Lancia Aurelia via Straatsburg naar het zuiden. Misschien had onze eigen voorzichtig opkomende welvaart het Wirtschaftswunder overbodig gemaakt, of misschien begroef mijn moeder samen met Lina de laatste kans op herovering van haar jeugd in Frankfort, waar alle dochters van hoedenmaakster Maria Blumenträger zich in 1934 hadden verzameld om hun helderziende zusje Bettina met haar man en haar twee kinderen uit te wuiven vanaf het eerste perron. Lina en Rosa uit Berlijn en Elvira, die haar verloofde van een dood paard wilde helpen genezen, ze woven met z'n allen de trein na die mijn grootmoeder en -vader in het onbekende zou voeren, uitbundig zwaaiend met de linten van hun hoofddeksels, zoals het de dochters van Maria Blumenträger betaamde, die achterblijven als prinsessen op de erwt, zonder zorg voor de slapeloze nachten die komen.

Mijn grootvader leunde uit het coupéraampje en hield de handen van zijn schoonzusjes vast, tot ziens Lina, tot ziens lieve Rosa en kleine Elvira. De locomotief floot, mijn moeder en mijn geëmmerde oom doken met hun neus in de boeken, toen Lina met dramatische gebaren de machinist nog even probeerde op te houden omdat de drie zusjes de kooi met het vogeltje nog in de trein moesten zien te krijgen, dat Bettina onder geen beding had willen achterlaten.

'Het vogeltje, het vogeltje,' riepen de vier zusjes in koor over het perron van het Frankfurter Hauptbahnhof, terwijl de locomotief zich langzaam in beweging zette en mijn grootvader met gevaar voor eigen leven over de balkonreling hing om zijn vrouw en in godsnaam dan ook maar dat arme vogeltje binnenboord te houden. De stoom van de locomotief hulde de drie zusjes in een mist en de dapperste, Lina, liep nog een eindje met de trein mee, roepend: 'De arme Pfiffikus kan het ook niet helpen.'

Toen Lina ter aarde was besteld zag mijn moeder de vergeefsheid van haar verlangen naar de terugkeer van vroegere dagen in en hief een klacht aan die in haar keel bleef steken, werd gecorrigeerd door de gedachte aan haar eigen gestaag toenemende welvaart, oefende zich opnieuw in geweeklaag om iets wat ze tijdenlang niet openlijk mocht uiten en wat uiteindelijk de vorm aannam van boosheid omdat Else, dochter van 'tante' Lina en oudste kleindochter van Maria Blumenträger, haar opscheepte met schoenen die weliswaar als nieuw waren, maar toch mooi telkens een halve maat te klein.

Mijn vader, die in dit hele verhaal de schamele rol krijgt toebedeeld die hij met zijn pijp en zijn niet-aflatende liefde voor mijn moeder heeft weten te verdienen, vatte haar klacht op een dag samen met de woorden: 'Eine misslungene Existenz, die Else,' ongetwijfeld goedbedoelde woorden die mijn moeder moesten verzoenen met haar vergeefse, achterwaarts gerichte perspectief, met haar eigen status, losgezongen van de op dat verre perron nog bestaande werkelijkheid, maar woorden die in de verkeerde, mijn, oren terechtkwamen.

Een vergeefse existentie? Else, die drieëndertighonderdduizend schoenen per dag verkocht, die zich koningin der olifanten mocht noemen, die wist dat ware rijkdom neerkomt op schoeisel om mee te lopen, Else een mislukte existentie?

Ik steigerde.

Stoffen

Elke keer als het noodzakelijk is maken we een dansje.

Naast mij ging de oma van Willie dood. Ik was verdiept in de grilligheid van mijn kroontjespen, die naar beneden gleed en naar boven haakte en vlekte en de letters niet op de lijntjes liet lopen, toen Willie naast mij een onverstaanbare kreet slaakte, zacht maar verontrustend, komend uit een diepte die ik nog niet had leren kennen, en toen ik opzij keek was Willie niet meer het stille hoopje ellende dat de dagen ongezien wenste door te komen, maar een ineengestort bergje gruis en vel, dat een nog net verstaanbaar, hees gefluisterd zinnetje voortbracht: 'Mijn oma is dood.'

Een ogenblik zat ik doodstil. Ik werd een donkere trechter in gezogen die uitkwam in een armelijk huisje vol kinderen op blote voeten, die met flakkerende kaarsen in hun hand geschaard waren rond een bed, waarin onder een lichtroze deken een perkamenten vrouwtje lag, zo dood als een pier, wier puntige, dode neus een slagschaduw wierp op het ingevallen gezicht. Ik kromp ineen, maar een ander deel van mezelf, het part dat zich wilde aanpassen aan de regels van het klaslokaal, dat de eenzaamheid van Willie in de donkere nacht zo gauw mogelijk wilde vergeten om zich te kunnen wijden aan de loop van de inkt op de lijntjes van het schrift, stak haar vinger op: 'Juf, Willie huilt.'

Willie en ik waren als de twee kleintjes naast elkaar in de bank gezet, ik omdat ik een jaar te vroeg van de

85

kleuterschool in de eerste klas was beland en Willie omdat ze een telgje was van een familie die ondanks armoede, ondervoeding en slechte huisvesting, door weer
en wind eigenlijk, kinderen op de wereld zette. Willie
kwam uit de Jan Steenstraat, een weggetje waar de huizen het formaat van kippenhokken hadden, waar de hele
dag bromfietsen stonden te janken en matrassen op het
wegdek bleven liggen, waar de was buiten te drogen
hing en de kinderen in hun onderbroek op straat mochten spelen, een achterbuurt in de termen van de provinciestad, die zich liet voorstaan op haar properheid.

Hoewel ik me niet herinner ooit in het speelkwartier
met Willie te zijn opgetrokken, liet ik me ook niet veel
gelegen liggen aan waarschuwende woorden over kinderen uit de Jan Steenstraat. Ik mocht Willie wel. Ze
had licht rossig haar dat naar alle kanten uitstak, zeer
fletse blauwe ogen met een rood randje eromheen en
witte wimpers. Haar stakerige armpjes en beentjes
kwamen uit een altijd even fris, gebloemd katoenen
jurkje, ze rook een beetje naar zuur brood en misschien
zou ze geen leven hebben gehad bij ons, bedorven nes-
ten uit de eerste klas, als Tiny er niet was geweest. Tiny
was een geval apart. Tiny en Willie samen, dat was een
onaantastbaar duo.

Tiny kwam ook uit de Jan Steenstraat, maar als Willie een onderkruipsel was, dan was Tiny de bazin van
het woonwagenkamp. Ze had vet, pikzwart haar dat
strak om haar hoofd getrokken zat en eindigde in een
dikke staart in haar nek. Ze droeg in beide oren kleine
gouden ringen, een strak zittend groen truitje en wijde,
rode rokken. De wijsheid van de juffrouw had haar achterin de klas een bank voor haar alleen toebedacht.
Nooit kreeg ze een beurt. Ze zat daar, breed, vanzelfsprekend, omdat er toch ergens gezeten moest worden
en wellicht om erop toe te zien dat er voorin de klas

geen geintjes met haar Willie werden uitgehaald. Eenmaal in beweging gekomen zou Tiny, in een onbegrijpelijk ritme met haar voeten klepperend, de juffrouw en haar hele klas kunnen stampen tot gestampte muisjes.

Nadat ik zo behulpzaam was geweest de reden voor Willies verdriet aan de juffrouw kenbaar te maken, werd Tiny onmiddellijk uit de achterste bank opgetrommeld om Willie naar huis te brengen. Exeunt Willie en Tiny. Ik geloof niet dat ze na die dag nog een voet in de school hebben gezet, of ze zijn in mijn herinnering vervaagd omdat iedereen, ook Tiny en Willie zelf, heel goed wist dat er geen eer of toekomst aan de twee te behalen was, en omdat ze genoegen namen met hun tweemanschap als ze elkaar tegen zouden komen aan de lopende band, of in een van de grote naaiateliers van de stad, want die waren in opkomst, naaiateliers voor de confectie.

Daarom hier hulde voor het ijzersterke duo Tiny en Willie, die door de juffrouw het liefst meteen met het afwaswater waren weggespoeld, wier dode oma niet de onbevlekte hartjes van de andere pupillen mocht bezielen, voor wier oma er nog geen weesgegroetje af kon omdat de mensen uit de Jan Steenstraat, nu ja, hun zondagsplicht niet regelmatig vervulden. Hulde en troost voor Willie, wie de eer toevalt mij er als eerste van te hebben doordrongen hoe diep en bodemloos over een gestorven geliefd iemand kan worden getreurd, eerst in stilte en dan, als de les maar verdergaat en doordendert alsof er in de nacht geen ramp is gebeurd, uiteenvallend tot een miezerig hoopje gruis waaromheen de wereld heeft opgehouden te bestaan.

Wij hadden geen oma. Althans, er was er een die u tegen ons zei en onze namen vergat en voor wie we ons zo gauw de gelegenheid zich voordeed uit de voeten maakten. Onze echte oma, iemand zoals de oma van

Willie, Bettina Bory, stierf voordat een van ons geboren werd.

Met de komst van de naaimachine was het met ons als gelukkige familie gedaan. We hadden op zolder een oude trapmachine staan, die nog van grootmoeder Bettina was geweest, een gietijzeren model met een glimmend houten werkblad, dat op onze vrije woensdagmiddagen als onderzeeër dienstdeed, maar daar kon mijn moeder net zomin mee uit de voeten als met de Aurelia. Alles waar handen en voeten verschillende bewegingen bij moesten maken was voor haar een onmogelijkheid, zelfs bij het tennissen bleef ze het liefst op één plek staan en als ze zo nu en dan gedwongen was een bal in de loop te volleyen, sloeg ze mis. Dat was niet uit onhandigheid. Eerder ondernam ze alles met een verhevigde aandacht op één ding, óf het zo tactisch mogelijk plaatsen van de bal, óf het zo hard mogelijk rennen om bij de bal te komen. Als ze zwom, leek het of ze bad, zo diep was haar concentratie.

Jarenlang waren wij gelukkige kinderen in speelbroeken van lichtblauw ribfluweel, met kleine gespen om de enkel, in donkerblauwe truien waarop een rij herten de weg naar de voederplaats vond, in blauw geblokte zomerkatoenen bloesjes, of in rood flanellen broeken en zwarte jasjes daarboven met gouden knopen. Altijd met z'n allen in dezelfde stof, alsof ze anders de tel kwijt zou raken of niet meer zou weten wie van die golf babyboom-kinderen de hare waren. Wij waren zo vrij als vogeltjes in de lucht en bouwden zeilboten uit kinderwagens, schuilhutten van berkentakken, we menden het paard van de melkboer vanaf de bok, we hielpen mijn grootvader bij het vervaardigen van vliegers uit rood kachelpapier, we verzamelden cantharellen en kauwden op de bandjes van de Dinky Toys, kinderen van een gelukkige tijd waarin geen plaats was voor boze geruchten, waarin Willies oma nog niet was gestorven, het woord vliegmachine aan een onbewolkte hemel met wit rookschrift deed denken, waarin de paashaas met Pasen in levenden lijve verscheen, zijn hoge achterhand nog net zichtbaar over de schutting van de buren, waarin we naar de Arabieren gingen kijken die op de betegelde wand de heerlijke koffie dronken waar De Gruyter ons op wilde onthalen.

Op welk moment worden kinderen verdreven uit het paradijs waar ze kleine genieën zijn? Met het besef van welke waarheid wordt de zondeval onvermijdelijk en posteert de engel zich bij de deurpost die met vlammend zwaard onverbiddelijk naar de uitgang wijst? Bij ons was dat het moment waarop mijn moeders naaister er de brui aan gaf.

Er was geen Maria Blumenträger meer die haar kleindochter van jongs af aan op een klein krukje liet plaatsnemen om een voor een de steekjes, de kruisjes, de stikseltjes te prikken op een geruit lapje, waar ook wel eens tranen van onmacht op vielen, omdat buiten de zon zo vrolijk op de keien stuiterde en kinderstemmen een opwindend spel verrieden waaraan zij, arm kind, niet mee kon doen omdat ze een grootmoeder had met huzarenbloed in haar aderen, een vrouw die wist dat het onheil te keren was als de dames breedgerande hoeden bleven dragen om de aandacht van de mannen af te leiden, die zich anders maar zouden verliezen in lapzwanserij en rijmelarijen tegenover een oude papegaai, of in politiek gekrakeel in bedompte zaaltjes, waaruit ze naar buiten stormden om de boel kort en klein te slaan.

Of mijn grootmoeder Bettina ook op zo'n krukje heeft gezeten om een lapje ingewikkeld vol te borduren, weet ik niet. Zij werd tenslotte, zodra de veelbelovende, maar in de kiem al bedorven twintigste eeuw was begonnen op kostschool in Miltenberg gedaan, ver weg van het ten dode opgeschreven hoedenatelier en van de stoffenwinkel van Schlomo Nussbaumer, die zich in de donkere gangen tussen de balen katoen en damast nog wel eens afvroeg hoe het zou gaan met zijn Bettina, het kind met de zachte oogopslag, dat niet opgewassen was tegen de aromatische, bedwelmende levenslust van haar moeder Maria Blumenträger.

Wel weet ik dankzij de stille getuigen van linnen fotoboekjes in een met linnen overtrokken foedraal dat mijn moeder in de eerste jaren in Nederland de mooiste tijd van haar jeugd beleefde, voordat de oorlog haar tot een Duitse maakte en daarmee definitief al het waardevolle, het troostrijke, de hele ommuurde tuin van haar kindertijd afsloot. Dat ze kleren droeg waar bijvoorbeeld Givenchy een puntje aan kon zuigen, zo modieus en gewaagd, ze had er de omslag van *Vogue* mee kunnen halen. Ontwierp mijn grootmoeder al die mantelpakjes, die toques, die asymmetrische jasjes? Hadden de veren en namaakbloemen aan de Rossmarkt dan toch hun vruchten afgeworpen in het Eindhoven van de jaren dertig, waar men nog nooit van zulke kleren had gedroomd? Was er in de zachtaardige Bettina, nadat ze eenmaal uit de trein was gestapt die haar had weggevoerd uit het land van haar zusjes, plotseling een snaar geraakt die Maria Blumenträger vergeefs geprobeerd had te laten trillen maar die nu in volle beweging kwam en hoeden, jasjes, pakjes te voorschijn toverde die van haar dochter Ilna een zo weergaloos en onweerstaanbaar persoon maakten dat we ons afvroegen hoe zo'n feeëriek wezen kon eindigen als moeder van ons, lastige kleuters met weerbarstige ziektes en nooit tot bedaren te brengen huilende harten. Harten met een gratis ingebouwde zelfmoordkuil.

Mijn hele leven zijn vragen naar mijn grootmoeder nutteloos gebleken. Andere kinderen hadden een oma, zoals Willie, die verkruimelde bij de gedachte dat ze het voortaan zonder haar moest stellen, ook al kon Tiny elk moment met bellen en tamboerijnen een dans beginnen om de doden op te wekken. Wij hadden van vaderskant een oude vrouw, die ons beschouwde als engerlingen voortgekomen uit Duits bloed. Wel hadden we van moederszijde een grootvader, die bij het inzepen voor het scheren zong *Es war in Schöneberg, im Monat Mai, die kleine Ilnaja war auch dabei* en vervolgens overging op het slijpen van zijn potloden voor het nooit te bouwen tuinhuis. Een grootmoeder hadden we niet.

'Ach, die Hollandse luchten,' zei mijn grootvader als hij onder de kersenboom, de werktekening op zijn knieen, naar de westelijke hemel keek, waar witte cumuluswolken een onweer voorbereidden, 'wat zou mijn vrouw daarvan hebben genoten.'

'Mijn vrouw'. Mijn grootvader had een vrouw, mijn moeder en mijn geëmmerde oom hadden een moeder en wij hadden niets. Op onze vragen kwam het antwoord dat we vanbuiten kenden: onze grootmoeder was de liefste, de zachtaardigste, de mooiste, het liedje dat we konden dromen, dat geen melodie meer bevatte omdat de zangers die het aanhieven niet geïnteresseerd waren om een melodie te laten klinken, maar eropuit waren de muziek voor zichzelf te houden totdat zij dof en afgesleten raakte, ver gehouden van gretige kleine oren die erin wilden delen. Want zo is muziek, zij heeft de ruimte nodig.

Mijn grootmoeder Bettina Bory was dus, na tweeënvijftig jaar de liefste et cetera te zijn geweest, gestorven op een doordeweekse dag, in de ochtenduren, terwijl ze net antwoord had gegeven op de vraag van haar zoon waar zijn gestreken overhemden lagen. Van het ene moment op het andere had ze het alledaagse verlaten en was de eeuwigheid in gesprongen, gestreken en gesteven overhemden achterlatend, plus een melodie die slechts de ruimte kreeg onder het schedeldak van haar man, haar dochter en haar zoon.

De oorlog was net achter de rug, de eerste van ons babyboomers lag al te trappelen in mijn moeders buik en de mooiste en liefste et cetera ging ervandoor, zonder een hint te hebben gegeven over haar naderend afscheid, zonder een klacht over haar lippen te hebben laten komen over haar positie in een land waarvan ze de taal niet begreep, dat haar eerst beschouwde als een armoedzaaierige vluchtelinge die men liever vandaag dan morgen de boot naar Amerika zag nemen, en later als onderdaan van een systeem waarvoor ze juist op de vlucht was geslagen.

Tien jaar had ze het in Nederland gepresteerd nauwelijks aanwezig te zijn. Van iedereen zijn restanten te vinden, hoeden, stukjes stof, sieraden, horloges, kiekjes, rozenkransen, meiliederen, maar van Bettina Bory was na tien jaar niets anders over dan haar naam, waarmee haar schepper haar in een gedachteloze opwelling tot zich had geroepen, omdat het strijken nu eenmaal was gedaan.

Raadsels blijven de namen die liever willen verdwijnen.

Laat ik mijn kaarten op tafel leggen: Willies oma, voor wie ik in gedachten in mijn witte communicantenjurk fresia's ronddraag, en ook Willie zelf, die de enige uit de klas was met een kórt communicantenjurkje, tot ver boven de knie, omdat in de Jan Steenstraat elke centimeter tule of nylon een aardappel minder betekende in de vale, gebarsten schaal, Willie die manhaftig het tuiltje fresia's vasthoudt alsof haar korte jurkje niet opvalt in de processie, alsof ze even waardig is om het bruidje van God te zijn als zij die als bruiden gekleed gaan – Willie en haar oma zijn gezegend tot in lengte van dagen, omdat zij het zich veroorloofden elkaars lied van opoffering en bescherming en genegenheid zo zacht en fluisterend te laten klinken dat het door de meiliederen heen nauwelijks te horen is.

Zo'n oma had ik niet. Zo'n oma moest ik maken.

'O, die kleren,' zei mijn moeder, 'die had mijn moeder niet zelf gemaakt. Die waren van de Bornes op de Demer.'

De Bornes op de Demer, wie waren dat nu weer?

Om op die vraag een goed antwoord te kunnen geven moeten we bijvoorbeeld van het hoge talud in Arnhem de diepte in kijken waar nog tot in de jaren vijftig zware locomotieven stonden te stomen en te zuchten. De onschuldige locomotieven, die alleen de rechtlijnigheid van het spoor kenden, zonder aandacht voor het landschap dat soms voorbijflitste, soms stilstond. 'Good news will come to you from far away' sisten de aandrijfstangen.

Wat had de locomotief die in mei 1934 op het Hauptbahnhof in Frankfort op het punt stond te vertrekken aan boord?

We stellen het ons voor: mijn grootvader, die in 1900 de Hollandse luchten waar hij later naar terug zou verlangen voor gezien hield en de benen nam naar Duitsland, een tegen beter weten in goedgehumeurde man, die elke tegenslag in het leven tegemoet trad met een zonnige koppigheid, omdat hij een van de laatste mensen was die heilig vertrouwden op wat je met je handen kon maken, met behulp van potlood en liniaal, en die dankzij dat pretentieloze vertrouwen ruimte over had om zijn hart royaal te laten spreken voor ieder die door rampspoed werd getroffen – mijn grootvader tilde de koffers en het kooitje in het rek.

Drie koffers. Twee grote bruine, met luid klikkende sluitingen voor hemzelf, zijn vrouw en de kleine jongen. Een klein donkerblauw koffertje, dichtgebonden met geruite, elastieken banden, voor zijn dochter die al was geslagen met de hebbelijkheid die Maria Blumenträger via de vrouwelijke lijn doorgaf, ambitie, en die per se de drie gebonden sprookjesboeken van Hauff, Grimm en Andersen mee had willen nemen, plus twee in wit leer gebonden delen van *Vom Winde verweht*, loodzwaar alle vijf die boeken, maar alla, tegen de onverzettelijkheid van de vrouwelijke Bory's was geen kruid gewassen – hij tilde ze in het rek.

Hij stak een pijp op, opende het coupéraampje op een kier en keek naar zijn geliefde heuvels, naar de korenvelden die op zomerdagen zoet roken en naar het schitterende lint van de Main, die even later uitmondde in de Rijn.

Mijn oom van elf had sinds het vertrek van het Frankfurter Hauptbahnhof zijn hoofd niet opgetild uit zijn boek, bij het hoofdstuk 'Differentiëren: de Productieregel & de Quotiëntregel'. Hij was te gebiologeerd door het geweld waarmee je functies kunt differentiëren, als je je maar aan de koninklijke logische grondregel vasthield van 'als... dan', om enige aandacht te besteden aan zijn geboorteland, dat buiten het coupéraampje uit het zicht verdween. Mijn moeder, die het met haar dertien jaar al tot de Unterterzia had gebracht, maakte in het gangpad een praatje met de conducteur, die wel gecharmeerd was van dit zoveelste donkere, vroeg mooie meisje dat zich naar het westen spoedde.

Veel en veel later zou juist mijn geëmmerde oom klagen over zijn heimwee naar 'die Duitse zing-zang' van zijn moedertaal, die hij niet terugvond in zijn kin-

deren of zijn Brabantse omgeving, maar, vreemd genoeg, in een glimp van de taal van de kinderen van zijn
zusje Ilna. Hij verklaarde zijn heimwee door zijn uit
angst geboren beslissing van zijn vijftiende tot zijn
tweeëntwintigste zijn kaken stijf op elkaar geklemd te
houden en te vluchten in cijfers en berekeningen, waarmee hij het ver zou schoppen.

Waarom gingen ze weg, met achterlating van alles,
eigenlijk halsoverkop?

Ik heb het besluit van mijn grootouders tientallen keren overwogen, tegen het licht gehouden, omgedraaid
en opnieuw gewogen. Zoals zij dat zelf ongetwijfeld
ook hebben gedaan, avond na avond, als de kleine jongen en het meisje naar bed waren en de zijrivier de
Nidda alle zorgen voor altijd mee leek te willen nemen,
zuidwaarts, westwaarts. Misschien was de aanleiding
voor hun gesprekken iets groots, iets politieks, zoals de
brand in de Rijksdag, of dat het concordaat van de Heilige Stoel met de nieuwe regering de zestig jaar bestaande katholieke partij monddood maakte, of omdat
de SA met brandende fakkels de steden binnenmar-
cheerde. Misschien was het om iets kleins, dat in maart
1933 de Corso-bar in Frankfort werd opgeheven en 'wegens joodse elementen' de band van Arthur B. werd
ontslagen, de Poolse jood die mijn grootmoeder zo aan
het lachen kon maken als ze daar op zomeravonden met
mijn grootvader uit dansen ging. Misschien waren het
de talrijke geruchten die daarbovenop kwamen, die roken naar iets wat met geen pen te beschrijven was, met
geen gesprek onder lamplicht te bezweren.

Praktisch gezien is er aan het verhaal van hun vertrek geen touw vast te knopen. De Positano-helft van
de familie tooit zich met het verhaal dat mijn grootvader, een 'Feintechniker', een technisch ingenieur met
een behoorlijke baan in de grote Duitse industrie, ie-

mand die zijn vak verstond en ervan hield, de knoop doorhakte. Hij had zijn vierkoppige gezin van de Adelbertstrasse in het centrum verhuisd naar de nieuwe witte woningen 'am Ebelfeld' aan de oever van de Nidda, een landschap van populieren en wilgen van waaruit de dertienjarige Ilna meer dan een uur met de tram moest, de rinkelende gele, met de trotse woorden 'Stadt Frankfurt' erop, voordat ze in het hartje van de stad nummer 17 'am Unterberg' had bereikt, waar de Ursulinen de jonge dochters van de burgerij klaarstoomden voor het 'Abitur', het altijd in het verschiet liggende, dreigende en verschrikkelijke eindexamen, dat toegang zou geven tot elke universiteit van Duitsland. Het was een nieuwe, geluk belovende woning die ze hadden betrokken, gebouwd volgens het adagium van Ernst May, 'wonen in licht, lucht en zon'. Mijn grootvader had hem in huurkoop genomen.

Huurkoop is gericht op de toekomst. Huurkoop duidde erop dat hij wilde blijven waar hij was. Zo'n man als mijn grootvader, die vanaf zijn vijftiende in Berlijn had gewoond en pas in zijn late huwelijk naar Frankfort was getrokken, zo'n man die met zijn hele krachtige koppigheid van het leven in een metropool hield en alleen voor de gezondheid van zijn kinderen een modern huis in het groen had gekocht, zou op vijftigjarige leeftijd dat alles met hetzelfde weidse gebaar als waarmee hij later de omtrekken van ons imaginaire tuinhuis aangaf opgeven? Zijn huis, zijn baan, zijn pensioen, zijn leven?

'Hij moest zich opnieuw laten naturaliseren,' zei mijn moeder ter verklaring.

Waarom deed hij dat dan niet? Waarom zei hij, na vijfendertig jaar in Duitsland te hebben geleefd, niet: vooruit met de geit en meldde hij zich bij het stadhuis? Of wás hij al genaturaliseerd en maakten de wetten van april 1933, die alle naturalisaties verkregen tussen

9 november 1918 en 30 januari 1933 nietig verklaarden, zijn staatsburgerschap ongedaan? Kón hij niet eens meer naar het stadhuis?

Van het nieuwe bewind moest hij niets hebben. Hij had van Rosa gehoord over de urenlange, lugubere fakkeloptochten van de SA in Berlijn in januari 1933. Slechte tekenen, maar er was zo vaak een wisseling van de wacht geweest in de Republiek van Weimar. In zijn besluitvorming kan de nacht van de lange messen geen rol hebben gespeeld, want die lag nog een paar maanden in het verschiet. Van de ratificatie van het concordaat met het Vaticaan in de septembermaand voor zijn vertrek hoefde hij niet wakker te liggen, want de secretaris van de Heilige Stoel, Pacelli, drong daarin juist aan op clementie met de joden die al generaties geleden tot het katholicisme waren overgegaan, mocht dat op Maria Blumenträger, wellicht, vaag vermoed en onuitgesproken, van toepassing zijn.

De enige twee dingen die hem hadden kunnen doen besluiten Duitsland de rug toe te keren waren de fakkeloptochten van de SA en de boekverbranding. Maar mijn grootvader was geen man van boeken. Hij was iemand van passer en liniaal, van kleine schroevendraaiertjes en ingenieuze oplossingen. Hij was een hartstochtelijk krantenlezer, maar het enige boek dat ik hem ooit in handen heb zien houden was de dikke Van Dale.

Als er één verklaring voor het besluit van mijn grootvader valt te geven is het zijn eigenwijze inborst, die hem in 1900 ertoe aanzette tabee te zeggen tegen het oeverloze gezwets van zijn vader en mijnheer pastoor. Hij was toen vijftien. Hij zocht ruimte om zijn koppigheid te laten gedijen. Vijfendertig jaar later was hij het gezwets en de leugenachtigheid van zijn jeugd niet vergeten, hij maakte zich opnieuw uit de voeten.

De kant van de emmer in mijn familie, die van mijn

hooggeleerde oom en zijn rijke stoet dochters, van wie de oudste twee tot de beste speelkameraden van mijn jeugd behoren, beweert bij hoog en bij laag dat niet hij het was die de taptoe blies voor de aftocht uit Frankfort, maar mijn grootmoeder, Bettina Bory.

Iemand moet, iemand met een stille waarnemersblik, in het bezit van een temperament dat zich niet hevig kenbaar wilde maken, gezien hebben wat er te gebeuren stond.

De schijnwerpers vallen in de schaars verlichte coupé op de vrouw die tegen het vogeltje praat, dat zojuist met kooi en al op het nippertje de trein in is gehesen. Ze zegt precies dezelfde woorden die ze als kind haar vader achterin het huis in Michelau had horen zeggen, elke ochtend in alle vroegte: 'Du armer Pfiffikus, der du lieber zu Hause geblieben wärst.'

De grote redenen voor het vertrek lagen bij mijn grootvader: koppigheid, gebrek aan angst, zin in avontuur, balsturigheid tegen elke autoriteit die hem wenste te ringeloren. Mijn grootmoeder had duizend kleine dingen als in een knopendoos bijeengegaard en had er tenslotte op aangedrongen de boel de boel te laten, hun twee kinderen de treden van de wagon op te tillen en te wuiven naar haar zusjes die vanaf het perron naar haar riepen dat ze het zonder haar wel zouden redden in het nieuwe Duitsland. Natuurlijk, iedereen redde zichzelf het best, maar Bettina Bory was een van de weinige zachtmoedige, maar onvervaarde mensen die begonnen te begrijpen dat het woord 'iedereen' zonder betekenis was geworden.

Hoe zag ze dat? Wat was in haar anders dan in de andere Bory-meisjes? Hoe kon ze haar echtgenoot, de sterk verankerde technisch ingenieur met huurkoop, pensioen en vriendenkring ertoe overhalen alles wat hij had opgebouwd achter zich te laten?

'Dat weet ik toch niet meer, wat ik allemaal mee mocht nemen,' zei mijn moeder, 'ik las Margaret Mitchell in de trein. Ik besloot dat Scarlett O'Hara's lijfspreuk de mijne zou worden: *Morgen werde ich darüber nachdenken, morgen bin ich in Tara.*'

Lang heb ik, net als mijn moeder, geloofd dat we morgen in Tara zouden zijn.

Het was een opgewekt gezin, dat van mijn moeder en mijn oom. Mijn grootvader ging, tot op de dag dat zijn Duitse paspoort ongeldig werd verklaard, iedere dag fluitend naar zijn werk. Toen hij ophield met fluiten, wachtte hij misschien iedere dag op een initiatief van zijn werkgever om, in navolging van de firma IG Farben, de beste on-Duitse werknemers aan het werk te zetten in de dependances in New York en Chicago. Of behoorde hij niet tot de toplaag en wist zijn vrouw eerder dan hijzelf dat hij niet tot de uitzonderingsgevallen zou worden gerekend, die de grote oversteek mochten maken?

Zíj stond met haar talrijke vriendinnen en kennissen dichter bij de markt en kon hebben gehoord dat in maart 1933 de gemeentelijke sportactiviteiten voor joden werden verboden, dat in april van dat jaar de joden uit de Duitse Boksbond werden gegooid, dat in de lente het Jiddisch werd verboden op de veemarkt van Baden, dat het veranderen van een joodse in een niet-joodse naam strafbaar werd. Rosa kon haar uit Berlijn hebben geschreven hoe wankel en bijna onmogelijk de wetenschappelijke positie van haar professor Dessaur werd en dat er in de journalistiek geen behoorlijk werk meer was te vinden. Dat alles verzamelde ze in haar knopendoos, ook de sluiting van de Corso-bar lag daar, een herinnering aan een onbezonnener tijd.

Laten we eens veronderstellen dat haar besluit om te

emigreren viel in april van datzelfde jaar, toen de burgemeester van Frankfort besloot dat het Heinrich Heine-monument uit de stad moest worden verwijderd.

Die avond las ze hardop voor zichzelf het gedicht 'Belsazar', dat mijn moeder op haar tweeëntachtigste nog bijna feilloos uit het hoofd zou kennen: *Die Mitternacht zog näher schon; In stummer Ruh' lag Babylon.* Wat een gewaagd idee dat Belsazar Bettina Bory ertoe aanzette te vertrekken, de koning die tijdens een banket in zijn immense feestzaal op de muur de hand zag die schreef, vlak voordat de Perzische Cyrus de Grote het water van de Eufraat omlegde om Babylon te veroveren: *Mene Mene Tekel Ufarsin.*

Ze wist het. Op het moment dat in haar stad Heinrich Heine werd verwijderd, van wie Schlomo Nussbaumer haar in haar kinderjaren papieren verzen stuurde, bloemenliedjes voor een bloemenmeisje, en ze soms Schlomo meende te ontwaren in haar dromen, waarschuwend en onbegrijpelijk glimlachend, wist ze dat ze weg moesten. Op de valreep, in de maanden die haar restten tot het einde van het schooljaar van Ilna en de kleine jongen, deed ze haar best Ilna zoveel mogelijk gedichten van Heine uit het hoofd te laten leren, talloze strofen, die mijn moeder haar hele leven als vlinders uit de mond zouden vliegen. Wat je in je hoofd had, hoefde je niet te torsen. *Meine Kontrabande trag' ich im Kopf, meine Herrn.* Haar vriendinnen vertrokken, mensen bij wie ze boodschappen deed vertrokken, de kleermaker en de arts om de hoek, steeds vaker bleek op een adres niet meer de oude vertrouwde naam te wonen, en hoewel Hanna Tasch en Enrique Fricke bleven, ontwikkelde zich bij haar een gedachte die in het begin door haar man werd weggelachen: 'We hebben het hier toch goed.'

Het was bijna onmogelijk hem duidelijk te maken

hoe op haar nachtelijke muur de gedroomde woorden waren verschenen, die niet meer en niet minder dan het allerlaatste en allergrootste oordeel inhielden, geschreven als de beslissing al is gevallen, onherroepelijk.

Was mijn grootvader zo flink dat hij naar zijn baas stapte en zei: 'Mijn vrouw wil weg. Kunt u voor ons een passage naar uw dependance in Amerika regelen?'

'U op de boot naar Amerika zetten? Dan kan ik wel kaartjes gaan kopen voor iedere gelukszoeker of jood die denkt dat het geld elders voor het oprapen ligt.'

'Ik heb me bij mijn huwelijk in 1919 laten naturaliseren.'

'Alle naturalisaties vanaf 9 november 1918 zijn nietig verklaard. Als u met alle geweld weg wilt, dan gaat u toch naar Holland?'

'Hij zei: "Dan gaat u toch naar Holland,"' brieste mijn grootvader 's avonds in hemdsmouwen en bretels, 'wat heb ik in Holland te zoeken?'

'Hij probeerde te zeggen dat je als de wiedeweerga het land moet zien uit te komen,' zei Bettina Bory.

'Helemaal niet!' riep mijn grootvader, 'hij wil de productie van strijkijzers vervangen door die van granaten en zolang ik doe wat hij zegt, kan ik blijven.'

'En jij hebt nog nooit van je leven iets gedaan omdat iemand anders zei dat je het moest doen,' zei mijn grootmoeder.

'Zo is het!' zei mijn grootvader triomfantelijk en hij tilde haar op om haar te kussen. 'Zelfs toen je moeder mij maande met Rosa te trouwen, koos ik jou. We wagen het erop. We gaan.'

'Zodra het schooljaar ten einde is,' zei mijn grootmoeder.

De schooljaren in Duitsland liepen met Pasen af.

Toen onze naaister ons verliet probeerde mijn moeder

eerst op het droge te zwemmen. Ze trapte en trapte op de gietijzeren, gevlochten trede van de naaimachine van haar moeder, een en al concentratie op de synchroniteit van handen en voeten, om tenslotte na een maand verwoed trapwerk een lapje omhoog te houden en te roepen: 'Dit is toch loempenwerk!'

Wij hadden ons uit de voeten gemaakt om op zolder oude Donald Ducks te lezen, maar moesten het tegen etenstijd beamen: op het lapje liepen de steken dwars door de ruiten, kraagjes waren aan mouwen gestikt, het was broddelwerk. Ze kon het niet. Waarom gingen we niet gewoon naar C&A?

'Ik ben mijn hele leven nog niet bij C&A binnen geweest,' zei mijn moeder op hoogbejaarde leeftijd, 'ik wilde niet dat jullie er voor een dubbeltje op de eerste rang bij liepen.'

Wij wilden niets liever dan er als een dubbeltje op de eerste rang bij lopen, wij wensten vurig niet anders te zijn dan de andere kinderen, een moeder te hebben die niet alle uitdrukkingen verhaspelde, die niet in ons bijzijn bij de drogist klaagde dat ze zo'n pijn in haar kruis had. Ze bedoelde in haar 'Kreuz', de onderste ruggenstreek, welk onderscheid in dit geval waarschijnlijk niet van praktisch nut was, maar wij krulden ons, tot in onze haarwortels rood van schaamte om alle associaties die niet mochten worden uitgesproken, in alle bochten om eventuele dubbelzinnigheden teniet te doen, die ons tot in lengte van dagen zouden blijven achtervolgen: 'Ze bedoelt in haar rug!'

'Das Kreuz, ja,' zei de drogist hooghartig en geruststellend omdat hij een semi-geleerde was, een pillendraaier en potjesschroever die van de bezetting het een en ander had opgestoken, en hij liet ons weten dat hij wist waar 'das Kreuz' lag door een hand onder op zijn witgejaste rug te leggen.

Zo'n moeder kreeg met Kerstmis een nieuwe naai-machine, een elektrische.

Ze zou de Bornes op de Demer nog eens versteld doen staan met die machine. Dat er geen Bornes op de Demer meer waren, werd ons niet aan onze neus gehangen.

Wij liepen door de Velserstraat op weg naar school. De helft van ons sprong luid op de betonnen gas- en water-putten voor de huizen, onder het roepen van de namen op elke huisdeur, alsof we het eeuwige vuur wilden af-dwingen voor elke halfdode die achter zo'n naam ver-scholen ging: Verschuure, ontferm u over uzelf, Smit-Gesink, ontferm u over uzelf, Takema, Bals, ontferm u, ontferm u, ontferm u over uzelf. Doorkneed waren we in de rites van de kerk. Ik kon niet meedoen, want ik was opgezadeld met Marijke de Heus, die niets van ons ritueel wilde weten, maar ernstig en volwassen met mij wilde babbelen over het een en ander. Zij was een blond kind uit een familie die wemelde van de blonde twee-lingen, en ze beschouwde ons als nieuwkomers die moesten worden ingewijd in de geheimen van de stad.

'Voor mijn vader is dat een dure slaapavond,' zei ze.

Ik begreep niet wat ze bedoelde. Ze had me uitge-legd dat haar moeder een lichtgeel nylon stofje had uit-gezocht voor haar communicantenjurk omdat lichtgeel zo goed bij de maand mei paste en ik had dat gewaagd gevonden, lichtgeel voor een Eerste Heilige Commu-niejurk, bijna een revolutionaire daad, maar ik kon mijn hoofd er niet meer bij houden toen ze uitlegde hoeveel lichtgele nylon er over zou blijven voor de ba-byjurkjes van een van hun vele tweelingen en dat ze de hele vorige avond met centimeters in de weer waren geweest, tot ze plotseling vroeg of mijn moeder ook elke avond op de naaimachine zat te zwoegen.

'Naaimachine?' vroeg ik. Het was aan de vooravond van de aanschaf van een elekrische in ons gezin. 'Nee, mijn vader en moeder waren gisteravond naar de schouwburg.'

'Voor mijn vader is dat een dure slaapavond,' zei Marijke de Heus.

Het duurde de halve Velserstraat voordat ze ertoe kwam mij uit te leggen wat ze met dat zinnetje bedoelde. Ze liep als een kleine badmeesteres over de stoeptegels van de godloochenende stad, er zeker van dat ze me had gedwongen minutenlang te watertrappen, al was het dan niet vanwege het als bloesem witgele nylon van haar communicantenjurk, dan toch vanwege de scherpe veroordeling van het gedrag van mijn ouders.

'Bij ieder toneelstuk, bij iedere film?' vroeg ik toen ze had uitgelegd dat haar vader, moe van het werk en van het stillen van al die identieke babymonden, in slaap viel zodra hij op een stoel in Cinema Palace in de Grote Houtstraat had plaatsgenomen. Marijke de Heus knikte bevestigend, ze had het gelijk van de oppassende burgerij geheel aan haar kant. Waarschijnlijk was ze erop uitgestuurd om mij de les te lezen over mijn frivole ouders, die maar naar de bioscoop gingen en hun kinderen achterlieten op haveloze houten vloeren, met inbegrip van een zeven maanden oude baby, geen ouderpaar dat zoiets over zijn hart kon krijgen en trouwens, die moeder was een Duitse, dat moest je ook niet uitvlakken.

Haar vader werkte vast veel harder dan de mijne, het lichtgele nylon was geen revolutionaire daad, maar nodig voor babymutsjes en -hemdjes, haar gezin had veel meer recht dan wij om het rood-wit-blauw te laten wapperen. Het was een meisje van de blanke top der duinen, het lievelingetje van juffrouw De Wit, kersenpit, iemand die mij door de Velserstraat voorging naar school, met kekke schoudertjes die uitdrukten: zo hoort het bij ons.

'Goh,' zei ik.

Er kwam een bataljon soldaten uit de Kleverlaankazerne over de keien aangemarcheerd. Het ritme van de enkelhoge rijglaarzen van de in het groen geklede mannen verjoeg elk dagelijks geluid. Hun neuzen recht vooruit, zonder een blik te werpen op de wereld die ze werden geacht te verdedigen, hielden zij een eer hoog die in de verste verte geen grondslag had. Ze waren dapper tegenover een bejaarde fietser van rechts, ze schrikten het paard van de melkboer op en marcheerden ons voorbij alsof de Nederlandse leeuw op het punt stond te ontwaken. Stijf onder hun linkerarm gekneld hielden ze een groen rolletje: hun handdoek met zwembroek voor de dagelijkse militaire zwemles in het Kleverbad. Een minuut nadat de soldaten uit het gehoor waren verdwenen, kwamen ons twee meisjes in gebloemde jurken tegemoet, met donkere vlechten. Ze liepen een beetje gedrukt tegen de muren van de huizen, ze wilden ons bij voorbaat de ruimte geven om onze schoolweg te volgen, ze wierpen ons een blik toe alsof ze elk moment de benen konden nemen.

'Wie waren dat?' vroeg ik aan Marijke de Heus, die niet had opgelet en druk doende was onze agenda op te sommen: 2 mei Eerste Heilige Communie, 4 mei vlaggen halfstok, 5 mei 's morgens aubade voor de koningin op de Grote Markt, 24 mei dauwtrappen op Hemelvaart.

'Die?' zei Marijke, een ogenblik gestoord in haar ordening van het juiste leven, 'die hebben in een kast gewoond.'

Marijke de Heus was de zesjarige chroniqueuse van de stad, Marijke de Heus wist alles. Ik zag mijn broers in de verte verdwijnen naar de jongensschool, ik liep de gehate schoolpoort onderdoor en het duizelde mij van belangrijke verordeningen: 'Alleen Slaapkoppen in het Theater'; 'Ons Leger Zwemt voor de Overwinning'; 'Leven in Kast Voortaan Verboden'.

Juffrouw De Wit kersenpit-eierdop-kletskop trok me, zodra we voorbij de oorverdovende bel waren die zuster Leopoldina met alle kracht van haar magere armen luidde, aan mijn oor opzij en siste me toe: 'Waarom kun je vandaag wel op tijd zijn? Was er dit keer niets bijzonders onderweg?'

'Nee, niets,' zei ik, als een goed aanstaand communicantje langs haar heen kijkend naar Marijke de Heus die met een gietertje de vetplantjes in het klaslokaal water gaf. Juffrouw de Wit was vóór Marijke de Heus en tegen mij, maar wist niet met welk argument ze me een onvoldoende moest geven.

Wat deed mijn moeder haar best op het eerste meesterstuk dat ze op de nieuwe naaimachine onder handen kreeg, de jurk voor mijn Eerste Heilige Communie. Geloofde zij erin? Lette ze op, toen ik bij het urenlange passen en meten zei: 'Er waren twee meisjes die in een kast woonden.'

'Daar moet je niet aan denken,' antwoordde ze, half verstaanbaar door de spelden in haar mond, 'daar heb jij niets mee te maken, draai je om.'

Wat mijn moeder van ons wilde was dat we eersteklas Nederlandse kinderen waren. Waren we tot dan toe vrijbuiters in lichtblauwe ribfluwelen speelbroeken geweest, met de noodzaak van een communicantenjurk kwam de Singer-terreur ons huis binnen. Eerst werd er een schaduw van het komende vooruitgeworpen doordat mijn moeder ons meenam, de stad in. Nooit hadden we kunnen vermoeden dat een gemiddelde provinciestad als de onze zoveel stoffenwinkels in één straat kon bevatten, zaken waar de tafels met katoen, zijde, linnen en nylon tot aan de horizon reikten, zoetgeurende vrouwenparadijzen waar een stoet winkeljuffrouwen ons in het gelid stond op te wachten, onder leiding van een kalende meneer in grijs vest, om ons in alles ter wille te zijn. Zonder een spoor van ongeduld tilden zij de zware balen van de tafels, ontrolden ze in de kom van hun elleboog, klopten ze van onderen de stof op om het patroon goed te doen uitkomen, net zolang totdat de hele zaak, van tafel tot tafel, bol stond van uitwaaierende bruidjesrokken en wij het pand verlieten om hetzelfde spel van zoetgeurende rolling en bolling door de concurrent te laten opvoeren.

Aan het eind van de Grote Houtstraat zwaaiden wij naar de anderen, die op de Grote Markt onder leiding van mijn moeders beste vriendin verveeld achter hun lege glazen ranja zaten en niet veel goeds verwachtten van de economie van vraag en aanbod die zich in de smalle straat afspeelde, en wij, mijn moeder en ik, keerden terug naar de eerste winkel aan het begin, waar mijn moeder haar oog had laten vallen op een lap half doorzichtig nylon met witte spikkeltjes erop, waaraan ik het bijzondere niet kon afzien. Was mij iets gevraagd, dan had ik geantwoord dat al het nylon in dezelfde mate kriebelde.

Het was onduidelijk welke oorzaken mijn moeder ertoe dreven met zo'n verbeten hartstocht en met een voor mij even plotseling opgedoken als bevreemdende kennis van zaken in de kwestie van stoffen en patronen te werk te gaan. Zo volleerd keurde ze de stoffen op kreuken, op rek en op de verhouding van kwaliteit en prijs, dat het was of de gebaren van haar grootmoeder Maria Blumenträger in de winkel van Schlomo Nussbaumer in haar waren gevaren, onverhoeds en trefzeker bij haar doorbraken. Of was haar, tot haar dertiende

dochter van een immigrant in Duitsland, na haar dertiende dochter van een immigrant úít Duitsland, er alles aan gelegen zich aan te passen aan haar omgeving,
niet op te vallen, ook al betekende dit dat ze zich met
Singer-naaimachine en al moest overleveren aan het
schrikbewind van juffrouw De Wit kersenpit-eierdop-
kletskop, dat erop was gericht alle eersteklassertjes als
bruidskuikens uit een en dezelfde dop zonder wanklank
naar het altaar te leiden? Of waren het de verdwenen
Bornes op de Demer die ze in gedachten had?

Mijn grootmoeder Bettina, van wie ik alleen de tekst op
het bidprentje kende: 'Ik heb U bij uw naam geroepen.
Gij zijt Mijn', hield zich bij aankomst in Nederland stil
en teruggetrokken. Apeldoorn, de plaats waar zij en
haar gezin werden opgevangen door onbekende familieleden die haar liever vandaag dan morgen doorscho-
ven, een vierkoppig vreemd gezin op hun dak was niet
iets waar ze op zaten te wachten, kon haar niet bekoren.
Sterker nog, ze was terechtgekomen in een wereld die
ze niet begreep, met kranten dichtgespijkerd als die
was, gekleed in zwart keper en smetteloos kant, nooit
verder kijkend dan de neus lang was. Er zaten dode
poppen op de stoelen, met het gelijk aan hun kant en de
hand vast op de knip.
    'Draag maar voor, laat maar horen,' moedigde Betti-
na haar dochter Ilna aan, om te tonen dat ze geen
woonwagenbewoners waren, maar een gewoon gezin
uit Frankfort, en mijn moeder maakte in het midden
van de kamer een 'Knicks' en begon, met iets van de
Napoleon-achtige voortvarendheid die in haar latere
jaren stormachtige proporties aan zou nemen, te decla-
meren: 'Die Mitternacht zog näher schon, In stummer
Ruh' lag Babylon.' De naam Belsazar viel ijzingwekkend
te midden van het goudgerande servies op het theeta-

feltje, de zilveren lepeltjes met molentjes rinkelden van schrik en een oudoom van de Hollandse kant zei in de stilte die na het laatste woord viel tegen haar: 'Eigen Laub stinkt.'

Van het Duits dat hij gedurende zijn leven had opgevangen had hij het meest Hollandse verkeerd onthouden. De familie was het meer met de oudoom eens dan met Heine: wat moet zo'n kind van dertien ons de les lezen?

Mijn moeder keek naar de glas-in-loodramen van de erker, overdacht dat 'Laub' in de moestuinen aan de oevers van de Nidda groeide en besloot zonder een kik te geven dat het Apeldoornse huis inderdaad stonk, naar spruitjes en bloemkool, en dat niemand meer gelijk had dan haar onbekende oudoom, dat zijn eigen huis stonk.

Eenmaal doorgeschoven naar Eindhoven, waar mijn grootvader bij Philips een baan vond, trok mijn grootmoeder zich verder terug in haar huis met tuintje en treurde om Frankfort en meer nog om de arme Pfiffi. Ze had niet de aard van haar man, mijn grootvader, die het 'netwerken' zo ongeveer had uitgevonden toen hij in 1900 Nederland op goed geluk de rug toekeerde, en die zich wel op zijn gemak voelde in het welwillende Brabant, dat hem de kans bood van onderaf aan te beginnen, zoals hij in Leipzig was begonnen, in Dresden, in Berlijn en in Frankfort tenslotte. Technische berekeningen en tekeningen waren van alle tijden, en hij had in dertig jaar Duitsland genoeg leergeld betaald om te weten dat het geluk van de ene op de andere dag kan keren, dat ongeluk een grotere waarschijnlijkheid had dan geluk en dat je blij moest zijn met de twee handen die God je had gegeven.

De enige instantie waar mijn grootmoeder mee te maken had waren de Nederlandse Spoorwegen, die nog een vogeltje van haar in quarantaine hadden.

Misschien heeft ze in de zomermaanden van 1934, toen ze zich van loket naar loket spoedde om het lot van het meegeëmigreerde vogeltje te verlichten, anderen ontmoet die uit de trein uit Duitsland stapten en verdwaasd om zich heen keken in wat voor poppenland ze terecht waren gekomen. Misschien herkende ze de mensen aan een onwaarschijnlijk onbruikbaar stuk huisraad dat ze meesleepten. Ze zal hen hebben aangesproken en hulp hebben aangeboden om te bemiddelen bij het loket, waar zij zelf ook toevallig moest zijn, om de termen te verklaren die op emaillen borden aan de bakstenen muren van het station waren geschroefd, om uit te leggen hoeveel kilometer ze nog van zee af waren, van Amsterdam, of van Eindhoven. Hoe het ook gegaan is, in het eerste jaar van haar verblijf in Eindhoven had mijn grootmoeder kennisgemaakt met de hechte gemeenschap joodse vluchtelingen in de lichtstad, van wie ze sommigen nog uit Frankfort kende, een groepje dat de eerste jaren uitdijde, dolgelukkig elkaar te treffen, maar in latere jaren uitdunde tot er niets meer van over was.

Een van de joodse vluchtelingen opende een kleermakerszaak op de Demer, en mijn grootmoeder voelde zich thuis in de winkel, die naar vroeger rook, naar de tijd van voor haar kostschool. Ze bestelde er de ultramoderne, uit Parijs overgewaaide, rechte rokken en jasjes, de toques als sherrykurken, de afgebiesde schouders en overslagen voor haar dochter Ilna, die voor haar klasgenoten op het meisjesgymnasium zo'n wonder van mondainiteit en het grote leven leek dat die leerlingen op hun beurt bij hun fabrikantenmoeders uit Helmond bedelden om ook een mantelpakje van de Bornes op de Demer, mijn grootmoeder aldus bombarderend tot een 'go-between' tussen de joodse immigranten uit Duitsland en het Hollands kapitaal, dat zich vergaapte aan het eerste het beste kosmopolitisme dat aan hun oog voorbijtrok.

Ik vermoed dat mijn grootmoeder veel hoorde en besprak van wat er in Duitsland gebeurde. Ik denk dat ze stierf op het moment dat ze droomloos ontwaakte in het winterlicht van december 1945, toen de betekenis van de afgelopen tien jaar haar begon te dagen.

Minder dan tien jaar later nam mijn moeder de afgebroken draad op en stuurde verbeten stoffen onder de naald van de elektrische machine door, stoffen die er op de balen in de winkels onschuldig en veelbelovend hadden uitgezien, maar die op onze lijven weerbarstigheden vertoonden die ze niet de baas werd. Onze ruggen waren te krom, onze schouders te smal, onze benen te mager. Elk kledingstuk vertoonde een mankement dat op het plaatje van het knippatroon onzichtbaar was geweest. Er werd aan ons getrokken en geduwd, er werden spelden in ons gestoken terwijl wij boven haar hoofd onverstoorbaar in de verte floten, er werd ons hoopvol telkens opnieuw de maat genomen, maar wij wilden niet passen in de beloofde mal. Mijn moeders falen was een persoonlijke nederlaag.

'Laat dat fluiten als ik je afspeld,' zei ze van ergens in de diepte, 'je bent de arme Pfiffikus niet.'

Wol

Als wij hadden gedacht dat mijn moeders talentloze omgang met stoffen onze jeugd verzwaarde, dan hadden wij nog geen rekening gehouden met de ramp die over ons kwam toen ze de liefde van haar leven ontdekte: wol. Ze had gefaald in de vanzelfsprekende traditie van Maria Blumenträger en Bettina Bory, voor wie geen enkele stof geheimen kende, die door de vroege dood van de laatste niet goed was doorgegeven, maar in wol vond mijn moeder haar emancipatie en pionierschap.

Uit geen enkele studie is mij gebleken dat in onze vroege jaren vijftig wol in de Nederlandse samenleving een speciale plaats veroverde, maar ervaring vertelt me dat dat het geval was. Toen wij een huis in een nieuwe stad betrokken, kwamen wij te wonen naast drie Liberty-achtige meisjes, met wie ik vriendschap probeerde te sluiten door middel van het meest verboden woord in ons huishouden, 'snoep'.

'Laten we snoep gaan kopen,' zei ik na de verhuizing tegen de feeërieke buurmeisjes, en ik legde een biljet van honderd gulden op tafel. Ik was vier en een half jaar oud en mijn talent voor de handel werd in de kiem gesmoord toen de buurvrouw meteen een keel opzette en zich, met het biljet wapperend, over straat naar mijn moeder spoedde. De drie sprookjeswezentjes klemden zich aan elkaars schorten vast uit angst voor de boef die ze in levenden lijve voor zich hadden. Kort daarop vertrokken de buren voorgoed naar Nieuw-Zeeland.

In de stad waar ik daarvoor had gewoond had ik al eens meegemaakt dat een jongen uit de straat, die ons probeerde te overtroeven met een geruite lange broek en een glanzende trapauto, die hij naar eigen zeggen van de Canadezen had gekregen, met zijn ouders voor altijd naar Australë toog, en het mocht geen toeval heten dat Australië en Nieuw-Zeeland de belangrijkste exporteurs van wol waren. Wol in de vorm van strengen en bollen nestelde zich in onze kleine samenleving als een parasiet op een oude beuk, en het eerste slachtoffer van de nieuwe import was mijn moeder. Ze stapte de nieuw gevestigde wolwinkel binnen en het was liefde op het eerste gezicht. De geuren, de kleuren, de dikte, de pluizigheid, de dichtheid van de draad, de maten van de breipennen, alles betoverde haar alsof ze op haar eentje de Galapagos-eilanden had ontdekt. Ze sloeg aan het breien.

Wij leerden op school met een-recht-een-averecht piepkleine kaboutermanteltjes te breien, die stijf stonden van het zweet van onze handen, en doelloze meters katoenen zwachtels voor de missie in Afrika, maar de ware liefhebster was mijn moeder.

Ze begon met wanten zonder duim, die wij bij bosjes mochten verliezen omdat ze in een handomdraai nieuwe breide, maar toen ze eenmaal de smaak te pakken had, was er geen houden meer aan. Ze breide mutsen en sjaals, onderhemden, ze breide met vier pennen kniekousen, ze breide truien zonder patronen en truien als mozaïeken, ze breide jasjes en vesten, ze breide als ze las, als ze ons voorlas, als ze naar de radio luisterde, als ze bezoek had. Ze breide van de vroege ochtend tot de late avond. Ze was een verslaafde geworden.

Wij zagen het met lede ogen aan. Er was iets uitgehongerds aan die vrouw. Gelaten keken we toe hoe haar kleine vingers met de vuurrood gelakte nagels instaken

en omhaalden, doorstaken, af lieten glijden en de draad
omhoogtrokken uit de onwillige knot wol terwijl haar
ogen gericht bleven op de letters van het boek waaruit
ze ons van de avonturen van Robinson Crusoë, de scheeps-
jongens van Bontekoe, John Silver en Jim Hawkins, van
Tom Long, van Rémi en Vitalis of de prins en de bedel-
knaap op de hoogte stelde. Wij verdwenen in de lotgevallen van deze helden, terwijl we onder onze eigen ogen
met twee of vier breipennen tegelijk werden vastge-
pind op ons lot van kinderen met verschrikkelijke, echt
kriebelende en buitengewoon onsportieve kniekousen.

Een paar keer per jaar riep mijn grootvader, als hij
kwam logeren: 'Schei toch uit met dat gebrei,' en hij
probeerde mijn moeder over te halen om gewone kleren voor ons in de winkel te kopen. Maar hoe meer hij
met haar breiwerk spotte, des te vastbeslotener klampte
zij zich aan haar pennen vast, omdat 'confectie' voor
haar een smadelijke bijklank had en zij de nagedachtenis aan Bettina Bory, haar moeder, wilde hooghouden,
die nog nooit van haar leven een concessie aan 'de confectie' had gedaan, net zomin als Maria Blumenträger,
die haar stoffen bij Schlomo Nussbaumer in de Treibgasse had betrokken. Dat je kleren van een rek kon halen en kopen was voor haar een even verwerpelijke gedachte als voor de Aschaffenburgse 'Heimschneiderei',
die ten tijde van mijn moeders opkomende brei-versla-
ving op zijn einde liep. Het had iets betoverends, hoe zij
tegen de stroom probeerde op te roeien.

Het enige kledingstuk dat ze niet kon breien was een
broek. Een broek leverde problemen op, daar brak ze
zich het hoofd over. In de tussentijd waren wij ertoe
veroordeeld kinderen te zijn voor wie het woord 'mode'
niet gold, die rondliepen in rode, donkerblauwe of bei-
ge kniekousen, in wonderlijk ontworpen truien en hes-
jes, in een eventueel scheef gestikte katoenen bloes zon-

der een behoorlijke broek daaronder. Daar werd iets op gevonden door tante Else.

Op deze plaats is het de moeite waard te vermelden dat ik, in het eerste jaar van de eenentwintigste eeuw, een reisje zou maken naar Würzburg en in een vlaag van nostalgie de onveranderde schoenwinkel van Schuh-Mohr in de Domstrasse binnen zou lopen, waar een bijna bejaarde verkoopster aan mij een schoenzooltje probeerde te slijten met de woorden: 'Sehen Sie, alles Kork hierunter', zonder te beseffen dat de kurk zijn magie aan het verliezen was, tien jaar na de dood van Else. Gods wegen zijn vol vergeefse moeite.

Ten tijde van de op de eeuwigheid afgestemde brei-woede van mijn moeder lag er op een dag een postpakket bij ons op tafel. Ons huis kende geen salon- of bij-zettafeltjes. Alles draaide om de grote houten eettafel die aan de rand van de kamer stond, of om de kachel waaromheen hazen- of konijnenvelletjes op de planken-vloer lagen. De rest van de kamer was het maaiveld van het enorme, versleten Perzisch tapijt, waar wij om beur-ten onze kop boven uitstaken. De eerste van ons die moed had verzameld, riep: 'Daar ligt een pakje uit Duitsland.'

De rest van ons snelde toe en keek hoe mijn moeder het pakje draaide en draaide in haar handen, aankon-digde dat het van Else was en de touwtjes begon los te knopen. Met geen mogelijkheid kan iemand van ons zich nog haar gezichtsuitdrukking herinneren toen ze, in plaats van eindelijk eens de juiste maat schoenen, broeken omhooghield, leren broeken met een hoornen hertenkop op de dwarsverbinding tussen de bretels en zij met een, door geen van ons ooit meer herinnerde stembuiging zei: 'Lederhosen.'

In de dagen van de Lederhosen had de ene helft van ons zich afgescheiden van de andere helft. Zonder dat iemand het had gemerkt was er in de loop van jaren tijdens het spel van onze kleine gemeenschap op het Perzisch tapijt een verschil van karakter aan het licht gekomen, een lichte divergentie van humeur, uiteen-lopende doelstellingen bij de vraag welke trajecten de Citroën Traction-Avant of de Willy Jeep diende af te leggen, op welke momenten de door mijn grootvader vervaardigde ophaalbrug open mocht en of beren in het verkeer waren toegestaan. Zonder bijbedoelingen wer-den er allianties gevormd, waarbij ieder van ons trouw bleef aan het democratisch principe dat iedere stem even zwaar telde. Er ontstonden fricties, opstoppingen, files voor de brug, overmoedige brandweerauto's die deden of ze over water konden rijden.

Pas toen tot ons doordrong dat de oppositie steeds uit dezelfde leden bestond, gingen we over tot fractievor-ming door het formeren van een club, die vooral was gericht tegen de oudste. De club bestond uit een be-perkt (twee of drie) aantal leden, soms uitgebreid met een vriendje, en hield zich bezig met het maken van paspoorten voor de leden en het opstellen van een re-glement van twee regels: 'Wij zijn de baas. Doodstraf volgt.' De meeste tijd ging zitten in het ontwerpen van een ingenieus alarmsysteem, dat moest waarschuwen wanneer de oudste van ons in aantocht was. De club zelf heeft niet lang bestaan, maar de ongelijkheid van humeur is er in de loop van de tijd sterker op geworden, vooral in netelige situaties, als het erop aankomt één front te vormen.

'Waarom zijn jullie niet gewoon gelukkig met el-kaar,' zuchtte mijn moeder, 'mijn broer en ik maakten nooit ruzie. Wat heb ik fout gedaan?'

'Jij geeft altijd de ander gelijk,' riepen wij in koor.

'Ach wat,' zei mijn moeder, 'ik weet niet hoe ik aan zul-ke kinderen kom. Er is met jullie geen land te bezeilen.'

Dat was een uitdrukking die ze graag bezigde: geen land mee te bezeilen. Ze vond dat er met haar pedicure geen land te bezeilen was, en met mijn vader niet als hij weer eens een haas aan de schuurdeur had genageld of als hij een oude, geliefde trui aantrok terwijl ze net een nieuwe voor hem had gebreid. Zelf had ze nog nooit een voet in een boot gezet en toen later de zeilers onder ons haar eens uitnodigden voor een ongevaarlijk tochtje op de Mooie Nel, vond ze de zestienkwadraats te nat en te modderig om er ook maar over te piekeren erin plaats te nemen. Ze gaf nooit iemand van ons gelijk. Wij waren altijd in het nadeel bij kinderen uit de buitenwereld. Als ze op dreef was kon ze ieder van ons monddood maken door middel van één volzin met zeven wankel geformuleerde, maar trefzekere beledigingen. Op haar manier was ze een taalvirtuoos zonder weerga.

'Ik wil geen gedonder,' sprak de vrouw die in het revolutiejaar 1918 in Duitsland was verwekt, 'anders gaat een van jullie zonder eten naar bed nadat hij eerst zijn bord heeft leeggegeten.'

Want in eten was ze onverbiddelijk. Ze combineerde base met zuur, caroteen met vetten, nitraat met eiwitten, ze wist van elke vitamine de functie, van elk mineraal de naam, ze wist wat te eten tegen buikpijn, hoofdpijn, spierpijn, misselijkheid en oorontsteking. Alles kwam altijd goed door de juiste voeding, mits in behoorlijke hoeveelheden toegepast, en 'geen honger' stond voor haar gelijk met een oorlogsverklaring.

'Jullie waren ten minste nooit ziek,' zei ze op hoge leeftijd toen een van ons meldde dat de dokter bij hem of haar een op zestienjarige leeftijd verwaarloosde hepatitis had geconstateerd.

Wij waren nooit ziek omdat het verboden was ziek te zijn bij al dat uitgekiende, afgewogen eten dat ze ons dag in dag uit voorschotelde. We waren nooit ziek omdat gebreide rode overbroekjes, kniekousen en wollen onderhemden ons beschermden tegen elk windje dat de hoek om waaide, tegen elk koutje in de lucht, omdat haar breiwoede ons moest beschermen tegen elke grilligheid van het klimaat. Tegen breien kon geen enkele bacil op. Wij waren zo tegen de klippen op nooit ziek, dat onze tong op onze schoenen hing tegen de tijd dat we een voor een uit huis gingen.

Wij aten haar gerechten en droegen haar truien totdat we erbij neer zouden vallen, uiteenspattend in brokken linzensoep, havermout en tulbanden, opgehangen aan de laatste draad wol die we met loodzware armen ten hemel hieven, we ontbeerden drop en snoep totdat we hologige snoeplustigen waren, maar met de Lederhosen ging ze een brug te ver. Als op afspraak sloten zich de linies.

De ochtend dat zij die ervoor in aanmerking kwamen in de leren broeken met het hertenmedaillon de deur uit moesten, steeg er op de eerste verdieping van ons huis een wolvengehuil op dat een kozak uit zijn wodkaslaapje zou halen. De welpen huilden wanhopig tegen hun voedster, met lange, ijskoude uithalen om de jammerklacht kracht bij te zetten, en de wolvin sloop met langzame pas om de jankende kleintjes, haar verschrikkelijke buit achter zich aan slepend, waarvan ze de kwaliteit, de souplesse en de geur prees, met veronachtzaming van de maat, want in elke Lederhosen kon een heel voetbalelftal de wedstrijd uitspelen. De broeken omhulden de betrokkenen van de oksels tot de knieen, het waren harnassen van stijf leer, die met geen mogelijkheid konden worden beschouwd als kledingstukken, eerder als pantservoertuigen op weg naar het kakhuis. Deze vergelijking was nog niets bij wat ons te wachten stond toen zij eenmaal had gewonnen.

Ze won altijd. Hoewel ze klein van stuk was en tenger gebouwd, kon haar wil met gemak een pak wolven het zwijgen opleggen, daar kwam geen oorvijg aan te pas, geen dreigement met huisarrest of een van de andere gebruikelijke opvoedingsmethodes, omdat ze begiftigd was met de napoleontische gave om met de oorspronkelijkheid en het vermetele van haar tactiek de tegenstander buiten spel te zetten. Ze schrok er niet voor terug in het heetst van de strijd een ingebeelde hartaanval te krijgen, zo een waaraan zowel Maria Blumenträger als Bettina Bory vroegtijdig was bezweken, zodat ze ons nog met haar laatste adem kon toefluisteren dat ze niet wist waarom ze zulke kinderen had gebaard. Of ze kreeg een acute migraineaanval. Of ze deed de deur van haar kamer op slot totdat haar trouwe vleugeladjudant, mijn vader, van zijn werk thuiskwam en ons opdroeg 'jullie moeder geen verdriet te doen'. Of ze liet eenvoudig een stuk serviesgoed uit haar handen vallen, een schaal die door oververhitting allang onbruikbaar was geworden, een cadeau gekregen theekopje dat haar al jaren ergerde door zijn smakeloosheid, een kom met tegen de keukenmuren opspattende rode 'Grütze', waar wij dol op waren. In alle gevallen sloeg de heftigheid van het gedemonstreerde ons met stomheid, en voordat we het wisten stonden we in Lederhosen op straat.

Op een woensdagmiddag haalde ze voor de eerste en enige keer bakzeil. Wij stonden buiten de tuinpoort die achter onze rug op de grendel ging, in het halfseizoense weer waar woensdagmiddagen het patent op hadden, weer dat lauwe melk door je aderen deed stromen, en we deden alsof onze neus bloedde toen we de oversteek maakten naar het grote grasveld bij de vijver, waar de kinderen van de straat al aan het voetballen waren. Eerst had niemand iets in de gaten. Ons dikke buurmeisje deed als 'vliegende kiep' een nutteloze en dwaze uitval, die veel verbazing wekte en pas toen wij onze plaatsen in het elftal kregen toegewezen, riep een van de kinderen: 'Moet je die broeken zien.'

Het spel werd gestaakt, de spelers dromden om ons heen.

'Is het van olifantenleer?' vroeg een meisje.

'Het heeft anders een geweldig achtereind,' riep Keesje van de slager, in het trotse besef een echte zoon van zijn vader te zijn.

Er werd gelachen.

'Die bretels zijn er zeker omdat hij anders van je kont glijdt,' zei Kareltje Fuyckschot, die binnenkort een petitie langs de huizen zou brengen om meisjes voortaan te weren uit het elftal. Er werd opnieuw gelachen en iemand begon, met twee vingers bij zijn slapen, te knorren als een wild zwijn. De slachtoffers onder ons deden er, vol begrip voor de hoon, het zwijgen toe. Het werd tijd om in te grijpen.

'Je voelt er niets van als je een pak slaag krijgt,' zei ik, kind van een tijd waarin het 'over de knie' een ritueel element was. Mijn moeder hanteerde, vanwege haar geringe, tengere kracht, een heel enkele keer een platte mocassin, die in een oogwenk van haar voet naar haar hand kon verhuizen, of een door mijn vader gezaagde broodplank, die eens in de zoveel tijd in tweeën brak, waarop mijn vader, welgemoed fluitend, een nieuwe zaagde. De kinderen van de straat mochten het proberen met de vlakke hand.

Geduldig bukten de ongelukkigen onder ons zich als deden we een potje bokspringen, en de anderen sloegen er om beurten verbeten op los, net zolang totdat ze het op moesten geven omdat hun handen gloeiden. Onze partij ging rechtop staan en zei: 'Ik voel niks.'

Na dit incident werd de woede grimmiger. De Lederhosendragers werden omhoog de lantarens in gejaagd, die bij avond gaslicht gaven en soms fietsbanden om hun nek droegen. Een voor een kwamen ze, hun armen om de paal geklemd, naar beneden geroetsjt en voordat ze nog goed en wel op hun voeten stonden, bevoelden ze hun achterste en verklaarden: 'We voelen niks.'

De doop van de Lederhosen kwam tot een hoogtepunt toen Kareltje Fuyckschot zich herinnerde dat hij eerder plaatjes had gezien van kinderen in zulke broeken. 'Het zijn moffenbroeken,' zei hij, 'het zijn broeken van moffenkinderen.'

Wat ons altijd bedreigde, waar de goede positie van mijn vader in het stadsbestuur ons tot nu toe voor had gevrijwaard, terwijl de moeders van onze buurkinderen in de nieuwe stad altijd al hun vraagtekens hadden gezet bij mijn moeders onmiskenbare accent, wat onmiskenbaar de opgekropte woede van het naoorlogse verzet van deze nieuwe stad was, kwam nu in gemeenschappelijk elan naar buiten: 'Moffenkinderen. Moffenkinderen.'

Terwijl wij naar huis liepen en de wind onze haren liet dansen, werd er getrapt tegen de Lederhosen, werden achter onze rug pijnlijke voeten hinkend in twee handen genomen en wij deden de tuinpoort achter ons dicht en voelden niets, hoegenaamd niets.

Mijn moeder trok ons zwijgend de Lederhosen uit en hing ze aan dubbele haken aan de kastdeuren op zolder, waar ze als in de dood verstilde hazen tot in lengte van onze herinnerde dagen bleven hangen, ten teken dat wij aan geen enkel volk ten onder zouden gaan.

Hoeveel wist zij van onze niet eenvoudige positie?

'Och,' zei ze, terwijl ze met haar tweeëntachtig jaar de geweldige machine hanteerde die het parket de glans moest geven van de 'Kaisersaal' in de Residenz van Würzburg, 'daar heb ik me indertijd altijd het kierewiet om bekommerd.'

Ik vermoedde dat ze iets anders bedoelde dan ze uitdrukte en vroeg: 'Vond je het dan niet pijnlijk?'

'Pijnlijk?' vroeg ze met ronde, verbaasde ogen en bracht de parketduivel, die bijna zo groot was als zij, tot zwijgen.

'Pijnlijk?' herhaalde ze in de plotselinge stilte, 'kind, jij hebt geen idee van wat echt pijnlijk is.'

Zoals gezegd, zo kwamen we niet verder.

De strijd tussen stoffen aan de ene kant en wol aan de andere werd door mijn moeder glansrijk gewonnen. Tijdens die krachtmeting werden door de familie aan de overkant van de grens plannen gesmeed om ons niet uit het oog te verliezen. Wij wisten van niets. Wij leefden in de luwte van alledaagse gebeurtenissen, voor ons gevoel in het hart van de cycloon die elk moment alles van waarde in ons leven kon meesleuren. De straten waarin wij ver van huis raakten hadden nog steentjes op het wegdek, lila en blauwe en lichtgele, waarop het moeilijk rolschaatsen was maar des te beter knikkeren met moeilijke obstakels, voor het oog verborgen putjes. Onze wereld was avontuurlijk op het minuscuulste niveau, onze tekeningen vertoonden nog niet de grote, kleurrijke vlakken van kinderen van nu, maar het wemelde erop van mussen en vinken, die zich liever verborgen achter een logge boom of van het papier vlogen dan dat ze het vreselijk lot dat hun op de tekening wachtte ondergingen. Bootjes vielen juist van de horizon af en het kabouterleven werd gekenschetst door waslijnen vol piepkleine kleertjes, die zich tot in het oneindige uitstrekten. Binnen de rand van het papier was alles nog voorzichtig op orde te houden, maar daarbuiten wervelde een onverkwikkelijke storm, vol bacillen, Russen en familiekwesties.

Else was, nadat haar *misslungene Existenz* een einde had gemaakt aan de gratis verstrekking van te kleine schoenen, aan de overdadige 'Mozartfeste' en aan haar onverhoedse charges op ons huis met een cameraman in haar kielzog die scheel naar ons knipoogde, overgegaan op het organiseren van familiereünies, waaraan vooral de Hollandse tak niet mocht ontbreken. De familie moest koste wat kost bij elkaar worden gehouden en hoewel mijn moeder om de vijf jaar de prijs van het hotel aan de rand van de Spessart dat Else afhuurde te hoog vond (Else had met haar solitaire leven makkelijk praten, zíj had ons onder te brengen, o, uit alles bleek dat het niet makkelijk was ons te hebben) kreeg Else altijd haar zin, en stuurde mijn vader zijn zoveelste tweedehandse auto richting Würzburg. Te midden van korenvelden waarboven leeuweriken stonden te bidden, onder een strakblauwe hemel zonder Hollandse wolken, onthaald met vorstelijke tafels vol met het zure, harde brood van Duitsland, kreeg de helft van ons gezin onmiddellijk na aankomst migraine. De andere helft had de ruimte om des te geraffineerder zijn charmes uit te spelen en zijn dorst te lessen, bij de eerste slokken van de gouden wijn de kiem leggend voor een eeuwig heimwee naar de latere, overlopende glazen.

Bij deze gelegenheden vielen we uit elkaar als zaden in een overrijpe vrucht. De een viel bij een oom in goede aarde, de ander betoverde eens een tante, een neef of nicht of desnoods een aangetrouwd familielid dat als een verschoppeling werd behandeld, en na afloop van een paar uitbundige dagen vonden we elkaar met verbazing terug in het binnenste van de auto, vol verschillende, elkaar tegensprekende verhalen, zodat het schrijven van een familiegeschiedenis bij voorbaat een verloren zaak was, in het beste geval een zeer eenzijdige, bevooroordeelde kijk op de dingen zou geven, en veel waarschijnlijker een vertelsel zou worden vol onwaarschijnlijkheden en verzinsels, omdat de enige die een werkelijk wonderbaarlijk overzicht over alle bijzonderheden had mijn moeder was.

Zij trok met grote vastberadenheid al onze woorden in twijfel, voegde zelf de onwaarschijnlijkste details toe en kwam tot voor ons onbegrijpelijke conclusies. Tegen de tijd dat we weer thuis waren, was de Duitse tak van de familie veranderd in een bont circusgezelschap, dat het publiek elke avond een geheel vernieuwd programma voorzette. De decennia waren van plaats verwisseld of het verhangbare trapezes voor een potje acrobatiek waren, waar je nog voordat het was begonnen duizelig van werd. Wij kregen geen greep op de ijzertijd voor onze geboorte, wij werden weer in de wol gehesen die moest voorkomen dat het vochtige zeeklimaat op onze longen sloeg, of op onze urinewegen.

Else bond de strijd aan met de grote hoeveelheden wol die mijn moeder verslond, met een opmerkelijke tactiek. Door het geallieerde bombardement had de hele Domstrasse, inclusief de Dom, in puin gelegen. In de binnenstad stonden alleen de muren van de huizen overeind, met lege plekken waar de ramen in het gelid hadden gestaan. Alleen de laatgotische Mariakapel reikte ongeschonden omhoog, dankzij de effectieve diplomatie van Maria bij God, dankzij de berekeningen van de geallieerden. De schoenenzaak van Elses vader was een van de getroffen panden, en hoewel mijn moeder een onduidelijk verhaal hield, dat de zaak van Elses vader al eerder in brand was gestoken, door wie of wat bleef vaag, was Else dankzij haar inventiviteit met de oorlogsbodem vol kurk een van de eersten die een gloednieuw gebouw van vier verdiepingen neerzetten, in de rechte, onopgesmukte maar stevige stijl die de Duitse wederopbouw kenmerkt.

Haar buren in de nieuw opgebouwde Domstrasse waren de Schnettlages, een Duitse variant van de C&A-familie, een vooruitziend bedrijf, dat inzag dat de tijd van de 'Heimschneiderei' in de Spessart voorbij was, dat de talloze kleermakers in het gebied langzaam aan de Marshall-welvaartsstaat ten onder zouden gaan en dat men voortaan kleding van het rek zou kopen, confectie. Voor hoeden was er, na twee oorlogen waarin men zich met de handen om de oren uit de voeten moest maken naar de schuilkelders, geen plaats meer.

De familie Schnettlage baadde zich schaterlachend en spetterend onder Elses nieuwe openluchtdouche en Else ging langs in hun tweede huizen in Ascona of Lugano. Ze werden de beste vrienden, zoals drenkelingen die vanuit een uitzichtloze positie voet aan wal zetten de handen ineenslaan. Ze bouwden als eerste het belangrijkste op, de Dom, en na te hebben voldaan aan deze plichtpleging die hun aanzien gaf, de Domstrasse.

Schuh-Mohr, de oude zaak waar nog werd verzoold en genaaid, kreeg een ruim aanzien met een brede, lichte wenteltrap in het midden en een zeegroen tapijt van wand tot wand, met licht zeegroen getinte glazen plateaus in mahoniehouten raamwerken om de mooiste schoenen uit te stallen, met röntgenapparatuur die de voeten van de klanten in zeegroen licht baadde, en een parallel aan de wenteltrap lopende glijbaan voor de kleinste klanten, die in een roetsj op de kinderafdeling belandden. Bovenop dit plezier kregen de kinderen bij aankoop van een paar schoenen een rubberen olifantje mee, dat op raadselachtige manier borg moest staan voor de kwaliteit van Schuh-Mohr.

Op een van de familiereünies nam Else een besluit, dat ze pas ter sprake zou brengen toen ik in de puberteit was en dat mij pas ter ore kwam toen de helft van mijn leven er al op zat. De familie Schnettlage had een oudste zoon die was voorbestemd in de voetsporen van zijn vader te treden en zo mogelijk nog voortvarender dan zijn vader de firma over het hele halve Duitsland uit te breiden. Wij hoorden zo nu en dan over hem praten en beschouwden zijn sporadische, min of meer spookachtige, roodharige aanwezigheid als een van de talloze voorbeelden die ons werden gesteld: hoe andere kinderen dan wij, die toch veel minder intelligent en begaafd waren dan wij, een welvarend en belangrijk leven voor de boeg hadden. Wij kregen bij die vermaningen de indruk dat wij er verfomfaaid en als los zand bij liepen, en dat waren we ook, los zand dat toevallig in dezelfde zandbak terecht was gekomen en dat zichzelf zo goed en zo kwaad als het ging ombakte tot taartjes en schelpen en visjes, die bij de eerste de beste vloed zouden terugvallen in hun oorspronkelijke staat, los zand.

Else had zich in het hoofd gezet dat de zoon van de Schnettlages de geschikte huwelijkskandidaat voor mij was. Waarom zij al zo vroeg in mijn bestaan er de melodie van wilde bepalen ben ik nooit te weten gekomen. Misschien was het haar natuurlijke bemoeizucht en autoriteit, die eerst haar 'die de die de die die die'-zingende moeder tot aan het graf begeleidde, van Schuh-Mohr tot in Hamburg toe een succes maakte en haar tenslotte tot keizerin van de dubbelmonarchie van onze familie maakte. Misschien was er een andere drijfveer, een diep weggestopte emotie waardoor ze mij in haar buurt wilde hebben, wat ik in die tijd van plotseling vallende winden de gewoonste zaak van de wereld vond en waar ik pas later onbeantwoorde vragen bij begon te stellen. Of ze was zo'n doorgewinterde zakenvrouw dat ze in een achterkleinkind van Maria Blumenträger een instinct vermoedde dat een gigantische winkelketen waarborgde, Schnettlage-Mohr, uw warenhuis voor het leven.

Mijn moeder gaf geen gehoor aan Elses aansporingen over een mogelijke toekomstige huwelijkskandidaat voor mij, niet omdat het haar niet profijtelijk leek, maar omdat ze aan de rand van de Noordzee had geleerd dat los zand zich niet liet dwingen in de vorm die je hebben wilde. Bovendien keek ze, zolang ze de stoffen met wisselend succes onder de machinenaald door joeg of de wol met veel plezier op de pennen zette, neer op confectie.

De oudste van ons was de eerste die in verzet kwam tegen de ongebreidelde liefde van mijn moeder voor wol. Die liefde strekte zich niet zo ver uit dat ook de wasmachine er deel van uit mocht maken. Zodra het nieuwe kledingstuk kant-en-klaar van de pennen was afgegleden en ons lijf erin was gehesen, deed het mee in de dagelijkse routine van gedragen worden, vuil worden en in de wasmachine belanden. Er zat een wolknop op die machine, maar binnen een maand had mijn moeder de knop wel een keer vergeten in te stellen. Kleiner, dichter en onbruikbaarder haalden we onze wollen kleren uit de machine. Voor lijfgoed en kniekousen was dat geen ramp, dat ging over op iemand onder ons met een kleinere maat. Maar voor onze lievelingstruien, de truien die ze precies op onze nadrukkelijke wensen breide, waren deze bedrijfsongelukken rampzalig. Lekkere slobbertruien slonken in de was tot kinderachtige, vilten harnasjes en hockeydassen die je in de wind omsloeg werden armzalige bandages met doorgelopen kleuren.

Ik geloof wel dat het mijn moeder speet dat haar met zoveel toewijding gebreide spullen in de was zo werden gemangeld, maar zoals bij het tennissen haar uitsluitende concentratie het lopen óf het slaan gold, kon zij haar hoofd niet bij twee dingen tegelijk houden, én het breien én de verschillende knoppen op de wasmachine.

Tijdens de middagen die kinderen doen besluiten om zich later, als ze het heft in eigen handen kunnen nemen, onder geen voorwaarde op zondagmiddagen te voet in duingebied te begeven, nooit meer kruipende zand- en duinuren gelaten te ondergaan, nooit meer op die middagen naar klassieke muziek te luisteren, nooit meer opgesloten te zitten in het eigen, tot een dikke punt geconcentreerde leven waar we bij elke ademhaling de dood een stapje dichterbij voelen komen, gingen we met mijn vader wandelen in de Waterleidingduinen. Hij schilde de appelen voor ons en wij krabden met ons zakmes de schors van berkenstokken, ieder van ons een eigen stok, waarmee we door het rulle zand van de duinen ploegden als hadden we er negenendertig jaar woestijn op zitten. Bij een moerassig stukje zaten we de appels te eten toen de drager van de langste stok plotseling amok maakte in een klein rietveldje, waar hij tot aan zijn knieën in wegzakte, met een woedende maar ook verzadigde glimlach op zijn gezicht. Hij sloeg met zijn stok het riet kort en klein.

'Wat doe je daar?' riepen wij.

Hij sloeg op de onschuldige stengels in alsof zijn leven ervan afhing en niets hem zo razend kon maken als hol, dood riet op een veldje, en hij niet zou rusten voordat de hoogte van dat veldje, desnoods van al dergelijke veldjes, was gehalveerd. Toen hij weer met rustige oogopslag voor ons stond, zijn benen vol modder en losse stekels, zei hij: 'Dat was het krimpveldje.'

Wij loeiden van enthousiasme en sprongen op om nog meer van dat soort rietlandjes te vinden, om ze allemaal te kortwieken, elk moerassig gedeelte van de Waterleidingduinen, totdat het hele gebied eruit zou zien of mijn moeder er met de wasmachine langs was gekomen, omdat het nu eenmaal een wet van Meden en Perzen was dat alles kleiner en dikker, te kort en onmogelijk werd, niet alleen onze truien, maar al onze ijle verlangens die naar de hemel reikten.

'Wordt de wol ook gezegend?' vroegen wij aan mijn moeder.

Wij probeerden enig houvast te krijgen in de wirwar van mogelijkheden. Het brood werd gezegend en de wijn, de tafel en de vis, opdat er geen dodelijke graten in zouden steken. In de kerken en kathedralen die ons op onze weg naar het zuiden gratis onderdak boden wanneer er in louche garages aan onze derdehands auto's werd gesleuteld, hingen gezegende krukken, armen en benen. Op het hemd dat we droegen werd met een veiligheidsspeld een lichtblauw scapulier bevestigd. Het klasklokaal werd gezegend en de schriften waarin we leerden schrijven en rekenen. Zuster Leopoldina zegende elke dag haar bakje yoghurt, wanneer ze haar lessen staakte omdat het angelus klepte en zij zich met stil verdragen lijden wijdde aan het enige gebenedijde dat haar van deze aarde toeviel. Zelfs de ons altijd bedriegende auto's werden gezegend en ter bevestiging daarvan hing aan elk rammelend dashboard een Sint-Christofoor-medaille.

'Er wordt in dit huis niets gezegend, tenzij ik zeg wat,' zei mijn moeder.

De pastoor was onverhoeds ons huis binnengevallen met als enig doel, zo leek het ons die avond bij het afscheid, nadat hij de fles jenever van mijn vader had opgedronken en een tweede sigaar voor thuis achter zijn oor had gestoken, mijn moeder te zegenen opdat er nog een 'kindeke' zou komen.

Wij zaten met half geloken ogen van vroomheid vanaf het enorme Perzisch tapijt te beloeren hoe onze gast de glaasjes achteroversloeg, de baby met wijze ogen vanuit de wieg, de jongsten van ons vastgenageld op de plekken waar de plankenvloer door het Perzisch weefsel heen kwam, de middelsten onder ons met hun bonte verzameling rozenkransen in de aanslag om op bevel daartoe de rozenhoedjes af te raffelen en de oudste zorgvuldig met zijn vingers de knoesten van zijn berkenstok aftastend, met moeite zijn neiging bedwingend om 'Actie Krimpveld' te roepen en in zijn aangeboren drift de franciscaner minderbroeder zonder hoofd de deur te wijzen. Niemand van ons weet meer of de franciscaan niet inderdaad op die manier is vertrokken, een en al dikke, bruine pij met een koord om het middel, een en al veelbelovende capuchon plat tegen de bovenrug gevouwen, maar daarboven geen hoofd.

Mijn moeder zette na zijn vertrek 'met barstende migraine' de ramen open om de rook te verdrijven en haar woede een uitweg te gunnen. Ze was niet kwaad omdat haar kinderen tijdens het bezoek de schamelheid moesten bedekken, niet omdat de zegewens tot grotere vruchtbaarheid was uitgesproken, want ze peinsde er niet over om nog een keer de pijn van het baren te moeten doorstaan, door haar portie van de hel was ze heen, maar omdat de jeneverfles geheel tegen de door haar ingestelde regel in tot op de bodem was geleegd, wat mijn vader de vermetele, maar onvergeeflijke moed gaf ten overstaan van haar kinderen te soebatten om toch gehoor te geven aan mijnheer pastoors aansporing.

Hadden wij op dat moment maar zo kunnen lachen en dollen als mijn vader het deed, maar wij zaten met Velpon vastgelijmd op het Perzisch tapijt, diep in ons hart even bevreemd opkijkend naar de rituelen van die avond als de inwoners van Afrika zouden doen als ze onze voor de missie gebreide zwachtels uitpakten. Er was maar een enkeling onder ons op wie de zeden en gebruiken van de Kerk indruk maakten, die zich erop wierp met de hartstocht van een hoerenloper voor bordeelbezoek. De rest van ons geloofde dat alles wat ons op school ter ore kwam zonder uitzondering berustte op een misverstand. Van de kin van onze leerkrachten droop het schuim van het pathos en wij probeerden oprecht hun nerveus verdraaide temperamenten tot rust te brengen door zo nauwgezet mogelijk uit te voeren wat zij ons opdroegen. Ons medelijden wedijverde met dat van de door hen Aanbedene, en slechts één keer, toen pater Beekman vanaf de preekstoel in geuren en kleuren het relaas van een door hem geleden schipbreuk deed, een avontuur dat binnen de twintig minuten dat de preek mocht duren wilde je de schapen binnen de poorten houden op miraculeuze wijze moest worden omgebouwd naar de ziel die in het achterschip was geraakt, slechts die ene keer waagden we het ons hardop te verbazen over het feit dat een vlot, van welke omvang ook, zo'n dikke pater franciscaan kon dragen.

Het was niet omdat wij armzalige realisten waren. Wij geloofden elk verhaal van de Prisma-juniorenreeks, wij accepteerden dat de middelste van de drie broers de koningskroon erfde omdat hij het presteerde een haas in volle draf de snorharen te scheren, maar wij hadden geen talent voor poppen en poppendokters. Op het moment dat er bij ons een vermoeden begon te dagen dat althans de traditie enige waarde kon hebben, dat we begonnen in te zien dat de logica van bijna tweeduizend jaar lang herhaalde Latijnse mantra's was dat ze enige transcendentie genereerden, evenveel ontstijging als het 'omne mani pat me hum', zette de 'lachende' paus Johannes de drieëntwintigste met een Vaticaans concilie schaterend tweeduizend jaar overboord, ons achterlatend in het zoveelste vacuüm waarin we het maar moesten zien te redden.

Hóé we ons redden valt buiten het bestek van deze familiegeschiedenis, maar ik moet vermelden dat ik schrok toen mijn meer dan tachtigjarige moeder, na het achtuurjournaal waarin triomfantelijk werd verkondigd dat het hele menselijk genoom eindelijk in kaart was gebracht, stelde: 'Ik geloof dat we allemaal voor de volle honderd procent uit chemie bestaan.'

'Doe niet zo gek,' zei ik haastig, 'als jij straks bij de hemelpoort aanklopt en je vertelt wat ze in kaart hebben gebracht, dan lachen God en jij in jullie vuistje.'

Maar zij herinnerde met spijt aan het rotsvaste geloof van haar vader, onze grootvader die nooit was toegekomen aan het daadwerkelijk bouwen van ons tuinhuis, maar die wel jaarlijks op Allerzielen hardop in de openlucht bij het graf van zijn vrouw Bettina Bory het onzevader bulderde, zonder acht te slaan op de muisachtige weduwes bij de graven om hem heen, in het machtige besef dat, als zijn God loftuitingen en smeekbedes verlangde, Hij die luidkeels kon krijgen ook.

'Nee,' zei mijn moeder nadat ze aan de nieuwste wapenfeiten van de fysiofarmacie en de biochemie had gerefereerd, 'ik geloof werkelijk dat we uit honderd procent chemie bestaan.'

Ik zei níét dat, als je dat geloofde, je voor hetzelfde geld meteen in je kist kon gaan liggen, maar probeerde met het woord 'ziel', dat ons niet voor niets sinds mensenheugenis voor raadsels stelt, enige ruimte te wrikken tussen haar en de planken van haar doodkist.

'De ziel?' zei mijn moeder, 'de ziel zegt wat je haar influistert. Wat dat betreft lijkt de ziel op de arme Pfiffikus.'

Ze gebood me de zoute koekjes uit de hoge kast te

halen en aan de aanwezigen te serveren op wedgwood-schoteltjes die weer ergens anders stonden. Ze zocht lang in het gevarieerde aanbod en toen alles op haar eigen bordje naar wens was gerangschikt, pakte ze er met veel overleg een zout balletje uit en zei, vlak voordat ze het in haar mond zou stoppen: 'Toegegeven, ze praten alle twee op onverwachte momenten.'

Veren

Laat ik met een waaier van papegaaienveren koelte toe-
wuiven aan de opgewarmde gloeiende kolen van deze
kleine geschiedenis en haar niet opschrijven voor mijn
moeder, die met de kracht van een onverzettelijke de
leeftijd van de zeer sterken heeft gehaald, en evenmin
voor de nagedachtenis van mijn moeders nicht, Else
Mohr, maar voor de kleine Pfiffi, die nog maar een korte weg heeft te gaan.

Dieren speelden in mijn familie geen belangrijke
rol, met uitzondering van het varken dat mijn overgrootvader Carl Bory nog kon kopen toen hij zijn huis
in Michelau had verkocht, de hazen die mijn vader won
bij het kienspel, en Pfiffi. Van Pfiffi had ik tot voor kort
nooit gehoord of het moet zijdelings zijn geweest, in
een van de talloze tussen-neus-en-lippens waarmee
mijn moeder het door haar opgediste lardeerde, op zo'n
manier dat je pas jaren later besefte dat in die tussen-
zinnetjes de enige relevante informatie was verwerkt.
Huisdieren hebben zich bij ons nooit echt thuis gevoeld.
Door toedoen van de jongste, mijn zusje Engel, kwamen voor korte tijd Kokoschka en Lukas bij ons wonen,
een cypers en een zwart katertje, die binnen de kortste
keren begonnen te niezen en stierven. Daarna was het
gedaan met de poezen, want mijn zusje Engel hield er
niet van het verdriet op te zoeken. Een even korte tijd
huisde een kanariepietje in de slaapkamer van mijn ouders, dat liever doodging dan één noot te fluiten. Voor

de rest bleef de levende have beperkt tot kikkervisjes van de jongens in alle wasbakken van het huis en een half dozijn palingen in de badkuip, aan mijn moeder cadeau gedaan door monseigneur Van Tricht, deken van het bisdom, voor welk geschenk ze zo gauw geen andere plaats had geweten.

Waar de arme Pfiffikus was gebleven wist niemand te vertellen. Maria Blumenträger had hem op een goede dag van de Rossmarkt naar Michelau meegenomen, een aardigheidje van een koopman in veren op doorreis naar Rusland, die er weinig heil in zag het beest nog verder mee te zeulen, temeer daar het een jako was, een asgrijze vogel met vuurrode staart, die weliswaar van alle papegaaiensoorten het beste kon praten, maar met zijn verentooi geen enkele indruk maakte op de klanten, voor welk doel hij tenslotte van Tanzania naar de Duitse grens was gesmokkeld. Maria Blumenträger had het haar opgedrongen geschenk niet kunnen weigeren en was bezweken onder het gehannes om de vogel op haar schouder te laten plaatsnemen, met de gedachte dat de goedzak Carl op die manier wat aanspraak had en zij haar handen vrij voor het hoedenatelier.

Alle kinderen Bory herinnerden zich levendig hoe de arme Pfiffikus 'Ulli trommelt' te berde bracht, maar geen van hen wilde herinnerd worden aan Pfiffikus' ongezouten commentaar tijdens de jaren 1914-1918, en vanaf het revolutiejaar 1918 had ieder van hen die bij Carl Bory binnenkwam de gewoonte aangenomen snel een doek over de kooi te gooien, waaronder het na een paar 'Götz von Berlichingen's' stil werd. Hoe lang de arme Pfiffikus heeft geleefd weet niemand, maar als ik mijn best doe zie ik op de door kromme appelbomen omzoomde landweg tussen de nog net geen vlam vattende korenvelden onder de hete augustuszon van 1924 mijn overgrootvader van Michelau naar Wasserloos lopen, aan een touw een roze varken met moeilijke voeten en op de kop van het varken de arme Pfiffikus met zijn vuurrode staart, die de hele weg opgewonden snerpt: ''t Is niet ver meer, moederskindje.'

Navraag bij de burgerlijke stand in Wasserloos leerde mij dat Maria Blumenträger er in 1928 was gestorven en dat Carl Bory zelf haar dood bij het stadhuis is komen melden, wat gezien het feit dat ze al sinds 1900 gescheiden van tafel en bed leefden een daad van opmerkelijke trouw mag heten. Misschien had de oude zich vlak voor de definitieve scheiding de liefde van hun eerste jaren herinnerd, toen de voortvarende Maria Blumenträger brutaalweg bij hem op de trein naar Constantinopel was gestapt, weggelopen van huis. Waar Carl Bory was gebleven meldde het geboorte- en sterfboek van de gemeente niet en op de vraag naar een mogelijke Pfiffikus klapte de ambtenaar van de burgerlijke stand kordaat het boek met het zorgvuldige inkthandschrift dicht, met de verklaring dat er in Duitsland ook nog zoiets als een *Datenschutz* bestond. Ik kon wel beweren nog familie van Suppen-Kaspar te zijn, zonder geldige papieren kon hij niets voor me doen. Gelaten zag ik hoe mijn overgrootvader Carl Bory zich met varken en papegaai opnieuw op de landweg bevond, op weg naar een nergensland dat nog onschuldig onder de appelbomen lag.

Mijn grootmoeder Bettina Bory moet iets om haar vader en de arme Pfiffikus hebben gegeven, want het gezin dat in 1934 in Frankfort op de trein naar Holland stapte bestond behalve uit mijn grootouders, mijn moeder en mijn oom ook uit het kleine vogeltje Pfiffi, dat met kooi en al op het laatste moment via het achterbalkon de trein in werd gehesen. Of Pfiffi een kanarie was, of een parkiet, of een groenling, een putter of een sijsje is onbekend, maar dat het te gek voor woorden was dat de vogel mee-emigreerde, is duidelijk. Wat is er makkelijker dan zo'n vogeltje in zijn kooi achter te laten bij een buurvrouw, of bij een nichtje, zo'n vogeltje blijft wel zingen zoals het eenmaal gebekt is en om van alle weinige dingen die je mee mag nemen nu juist zo'n vogeltje uit te kiezen, daar moet je toch wel behoorlijk 'beklopt' voor zijn?

Tegen mijn gezond verstand in moet ik dat tegenspreken. Als iemand in een dreigende situatie besluit afscheid te nemen van familie en vrienden, van goedbetaald werk en een huis in huurkoop, van het merendeel van have en goed, van een stad die je past als een jas in een land dat je begint te benauwen, dan is élk levend of dood ding dat zo iemand in een treincoupé weet te krijgen van onschatbare waarde. Als het Pfiffi was in ruil voor een Duits staatsburgerschap, laat het Pfiffi zijn geweest in plaats van een goedgevulde pensioenpot, in plaats van diamanten in de zoom van je rok, dan moet ik concluderen dat Pfiffi meer waard was dan al het andere.

De enige die met de arme Pfiffikus kon wedijveren in ongevraagd zingen was Lina Bory, het drie jaar oudere zusje van mijn grootmoeder, dat met zwier twee huwelijken overleefde en als lustige weduwe tot op hoge leeftijd plezier uit het leven haalde, in de wetenschap dat als de bisschop van Würzburg zich nauwelijks aan haar charmes kon onttrekken, God het in Zijn barmhartigheid ook niet zou kunnen. Dat God haar de laatste tien jaar van haar leven haar spraak had ontnomen, maar niets van het andere, bewees Zijn grootheid.

Wij hoorden in de verte over haar praten toen Else op een van haar fotosessies langs ons huis raasde, of toen we bij haar langsgingen op weg naar het zuiden. Lina en haar dochter uit het eerste huwelijk, Else, lieten in 1949 het huis met de grote tuin bouwen, die in 1959 nog eens werd voorzien van een zwembad dat zowel in de winter als in de zomer kon worden gebruikt. Al die rijkdom kwam van de kurk. Uit wat wij van roezemoezende zomeravondgesprekken opvingen over Lina, die door ons tante Lina moest worden genoemd, kregen wij de indruk dat haar dochter Else een wat ouder zusje van mijn moeder was in plaats van een nichtje – halfgek werd je van de nooit bestaand hebbende of plotseling opduikende familieleden van mijn moeders kant. De oorlog had alle verhoudingen door elkaar gegooid en voor de zekerheid noemden wij elk vrouwelijk familielid van mijn moeder tante, maar met de mannelijke leden waren we voorzichtiger, omdat daar wel eens een gevaarlijk loensende fotograaf tussen kon zitten.

'Tante' Lina dus, de tante van mijn moeder, kwam na jaren van Mozartfeste, weduweschap en nog meer 'Wirtschaftswunder' in een rolstoel terecht, woordloos maar niet gebroken. 'Die Mimi', zoals Else haar moeder noemde, toonde in haar gehandicapte jaren een kracht die niet voor die van de arme Pfiffikus onderdeed. De laatste had alleen maar geleende woorden tot zijn beschikking, Lina's taal was door een beroerte uit haar mond geslagen, maar beiden wisten een volharding en virtuositeit in hun woorden te leggen waar de rest van het gezelschap stil bij viel.

'Die die de die de die die je die,' zong het ons tegemoet en wij wisten dat ieder van ons op waarde werd geschat, ieder van ons in een volzin werd gekarakteriseerd en ons en passant een wijze les voor de toekomst werd meegegeven.

Toen ze in 1969 was gestorven, na jaren door Else te zijn voortgerold van schoenenbeurs naar schoenenbeurs, na elk Mozartfeest met haar gezang te hebben gedomineerd, had Else haar handen vrij voor ons.

Het is me altijd een raadsel gebleven waarom Else tijdens mijn Eerste Heilige Communie in 1953 als eerste van de in Duitsland achtergebleven familie opdook bij ons in Holland, waar ze niets te zoeken had, waar wij stom van schrik naar de witte Duitse nummerborden van haar DKW staarden, die ons in de ogen van de hele straat zouden belasten met een schuld waar we het fijne maar niet van te horen kregen.

Het waaide uit zee, het was er vol mensen en daar was Else plotseling en riep 'hallo' met die typisch Duitse klemtoon op de eerste lettergreep die het woord tot een veertje op de wind maakte: 'Hál-lo!', de fotocamera's klikten en klakten en wij keken boos op naar de brutale schending van ons Hollandse bestaan.

Maar er was geen houden aan. Else overrompelde ons met haar charme, met haar overbloesemend geluk ons te zien, ons als een moederarend onder haar vleugels te kunnen vouwen. Ze wilde onze bollenvelden in bloei zien en de zee, want het was onvoorstelbaar moeilijk voor een mens te leven in een land dat nauwelijks over zee beschikte, vertrouwde ze ons toe, wij mochten van geluk spreken dat we in een land waren geboren met zulke watergewassen luchten, met zo'n vlakke bloemenpracht die in de lente tot in de stad te ruiken was en met zoveel zee, zo onmetelijk veel zee.

Het Midas-achtige aan Else liet ons elke keer na haar vertrek met lege handen achter. De bollenvelden verwaaiden tot natte geestgronden, de hemel druilde en mijn moeder verklaarde opnieuw dat ze niet zo gecharmeerd was van de Noordzee en dat ze de voorkeur gaf aan de Middellandse Zee, die zo blauw was dat het met geen blauw te vergelijken was, of het moest zijn met het blauw in de ogen van haar jongste zoon. Wij schikten ons na Elses vertrek in ons lot van onze het hele scala van kleuren doorlopende ogen en liepen de weg naar school en terug in het besef dat geluk iets was wat je aanraakte en daarna weer verloor.

Else kwam nog twee of drie keer onverwacht langs, op een zondagmiddag in de tuin als zomerse neerslachtigheid zich van ons meester maakte, op maandagen dat mijn moeder juist onze gebreide kniekousen aan de waslijn ophing. Ze liet ons tussen enkele windvlagen door in de tuin fotograferen en vertrok voordat de schoolbel voor de middag had geklonken. Ze stuurde ons de enige foto's die ooit van ons allemaal bij elkaar zijn genomen, foto's die weliswaar niet door Enrique Fricke uit Frankfort waren gemaakt, zoals die van mijn moeder en mijn oom op die leeftijd, maar door een firma te Würzburg. Het deed er niet toe, ze zijn bewaard evenals de naam van Enrique Fricke, op wie mijn moeder rijmpjes maakte als ze dacht aan haar vroege schooltijd.

'Enrique Fricke aus Ikikè,' zong mijn moeder als ze de was ophing, of als ze een paar oorbellen koos om aan te doen, of als ze mijn vader wilde plagen. Nooit hebben wij begrepen wat de naam van de fotografe, die rond 1900 Bettina Bory als twaalfjarige op de gevoelige plaat had vastgelegd, betekende, welke allang vergeten geheimen die naam omvatte, over welke bijzondere eigenschappen Enrique Fricke beschikte dat haar naam tot in de eenentwintigste eeuw bewaard zou blijven, onaangetast door begrip van onze kant, alleen overgeleverd door mijn moeder die 'Enrique Fricke aus Ikikè' zong wanneer het haar uitkwam, wanneer ze losraakte van de grond van ons bestaan en een paar ogenblikken lang een frivoliteit ontwikkelde die ons buitensloot.

'Die misslungene Existenz' van Else, wat dat ook mocht zijn, sloot ons een tijdlang van haar aanwezigheid af.

Mijn ouders keken niet meer op van de welvaart van het 'Wirtschaftswunder'. Beiden overleefden met zware hulp van ons het huishouden van antraciet-kolen en wollen kniekousen en begonnen voorzichtig te genieten van de rijkdom die ons overviel als een snel, vers piratenschip het vermoeide, koloniale zeekasteel. Tot aan de eerste oliecrisis in 1973 bestegen we de Alpen in gloednieuwe Peugots 404, die soepel in de versnelling lagen en kofferbakken vol zwemvliezen en duikbrillen konden bergen, koekblikken van wagens met een topsnelheid van 140 kilometer per uur, even snel als onze zoveelstehandse laatste auto maar toegerust met haarscherp afgestelde remmen, die de hemelpoort op bedwingbare afstand hielden.

De tijd is een vleugelslag. Meestal zit je verborgen onder de vleugels en hoor je ver boven je hoofd het eindeloze geklets van de arme Pfiffikus die niet weet waar hij het over heeft, die maar napraat wat hem ter ore is gekomen, alle mededelingen krachtig samenvat in een vloek en maar doorpraat, alsof er intussen niemand is doodgegaan, geen families in strijdperken tegenover elkaar zijn komen te staan, geen grenzen zijn overgestoken en de vergeefsheid op niemand vat heeft gekregen. Hij roept maar wat, alsof elke ochtend splinternieuw is en de overblijfselen van het feest van gisteravond bijeengeveegd moeten worden in taal.

Soms word je opgeschrikt door een wiekslag, en nog een. Voordat je weet wat er gebeurt ben je uit de veilige positie onder de vleugels getuimeld en begin je aan de val die geen duur heeft en dus geen einde. De geschiedenis behelst louter dat soort valpartijen. Elke keer dat we neerkwamen, was de klap groter dan verwacht, want de twintigste eeuw was geen zacht vangnet. Onderwerp van deze vertelling is niet de landing, maar het vallen zelf van een paar personen die dankzij de chemie familie van mij waren of zijn.

Else en wij waren elkaar pas tien jaar voordat de twintigste eeuw ten einde liep weer tegengekomen, bij toeval, zoals wanneer je een winkeldeur opendoet, het zonlicht in stapt en daar iemand die je in geen jaren hebt gezien of gesproken tegen het lijf loopt. Op een dag nam ik de telefoon op en hoorde ik, nadat ik volgens Nederlandse gewoonte mijn naam had genoemd, aan de andere kant van de lijn iemand roepen:

'Du Goldstück!'

'Else!' riep ik terug terwijl al mijn zenuwen overeind sprongen en ik van opwinding bijna de hoorn uit mijn handen liet vallen, 'tante Else, dat doet me plezier.'

Na enige heen en weer gaande kreten werd mij duidelijk dat ze helemaal niet van plan was geweest mij aan de lijn te krijgen, maar haar nicht Ilna, die ze samen met mijn vader had willen uitnodigen voor een groots feest in Würzburg, ter ere van haar tachtigste verjaardag. Toen ik haar het nummer van mijn moeder wilde geven, onderbrak ze me ongeduldig dat ze dat al duizend jaar had, dat ze alleen bij vergissing, of door een kleine sprong in de hersenen, of wie weet een ingrijpen van hogerhand niet Ilna's nummer had ingetoetst, maar het mijne. Zonder zich een adempauze te gunnen stelde ze dat het zo nu eenmaal moest zijn en of ik haar, omdat het haar van oneindige blijdschap vervulde mijn stem te horen, het genoegen wilde doen op haar verjaardag te komen.

'Du Goldstück, du kommst doch auch?'

Mijn moeder was niet direct gecharmeerd van het voorstel.

'Wat moet een achternichtje nou op haar verjaardag?' vroeg ze zich hardop af.

Ik begreep haar wel. Zij was de eerste geweest die in de slechte tijd het land had verlaten. Else was op haar beurt de eerste geweest die luid tweetaktend met haar DKW F91 driecilinder de grens was overgestoken, een land in dat haar liever nooit meer doorgang had willen verlenen, om na twintig jaar haar jongere nichtje op te tillen uit haar heimwee. Dankzij de Mozartfeste, waarvoor mijn moeder haar roodkanten en zwartfluwelen avondjurken in vloeipapier had kunnen vouwen, dankzij het douchen in de openlucht en de vrijheid die het haar had geschonken de benauwde jaren vijftig in Nederland voor even te vergeten, dankzij het tastbare bewijs van liefde in de vorm van schoenen die Else ruimhartig weggaf, had ze zich niet helemaal overgeleverd gevoeld aan het lot, dat altijd meer leek te beloven dan het in petto had. Ze had haar hart in twee stukken gesneden zodat de ene helft van haar bloed werd rondgepompt om haar kinderen Nederlandser dan Nederlands te maken, debacles als die met de Lederhosen daargelaten. De andere helft werd verdikt door nooit gehuilde tranen, om de onherstelbaarheid van de geschiedenis in het algemeen en die van haarzelf in het bijzonder.

Het mes had gesneden en hoewel voor ons het voor ons bestemde deel even zichtbaar als hinderlijk was, zoals het zich manifesteerde in knippatronen voor de kerkelijke feestdagen en breipatronen tegen de schadelijke invloed van de Noordzee, vingen we zo nu en dan een glimp op van het andere deel waar ze zwijgzaam over was, alsof ze zich te slapen had gelegd te midden van de bonte veren en het kunstfruit in het hoedenatelier van Maria Blumenträger en ze de arme Pfiffikus boven haar hoofd wel had horen praten over voorbije en komende oorlogen, maar gewend was het dier te negeren, zoals iedereen in de familie het deed.

Nu lag er de uitnodiging van Else aan mij. De twee

stukken kwamen weer samen en dreigden elkaars ritme te verstoren.

Het was Elses wens, maar ze voelde er niets voor.

Dus liep het driemansritje naar Würzburg van mijn
moeder, mijn vader en mij bijna op een catastrofe uit.

Het begon op de ochtend van vertrek met een oprisping
'van die geschiedenis met het kruisje'.

'Hoe kom je aan dat kruisje van Engel?' vroeg ik toen
ik, na een nacht doorfeesten, al mijn ledematen doorzichtig als kristal, het ouderlijk huis binnenviel. Om
mijn moeders hals, waar ze snel een sjaal over drapeerde, had het witgouden, met diamanten bezette kruisje
gehangen dat aan mijn grootmoeder Bettina Bory had
behoord en op Engels eenentwintigste verjaardag plech-
tig aan haar was overhandigd. Het was het sieraad
waarmee mijn moeder zich in de vroege vrolijke jaren
had getooid, op weg naar de schouwburg waar mijn vader nog niet in slaap viel, dat in het licht van de gaslan-
taarns buiten het slaapkamerraam was opgelicht als ze
zich over ons heen boog om ons goedenacht te kussen.

'Waarom geef je dat aan Engel?' had ik indertijd gevraagd.

'Omdat het van moeder op dochter overgaat, een
beetje traditie kan in deze familie geen kwaad.'

Waarom gaf ze het dan niet aan mij, had ik willen
weten en ik had haar in herinnering gebracht dat ik
tenslotte haar oudste dochter was en volgens Lina en
Else het meest op Bettina en Rosa leek.

'Jij houdt niet van sieraden,' was mijn moeders antwoord geweest, 'jij hebt op je eenentwintigste van ons
een modern gouden kruisje gekregen.'

Hoe had iemand die volwassen werd in de nasleep
van de revolutie van '68 van sieraden moeten houden?

Op de ongelukkige ochtend dat we gedrieën naar de

tachtigste verjaardag van Else afreisden, droeg ze het om haar hals.

'Ik heb het voor de gelegenheid van Engel geleend,' zei mijn moeder, terwijl ze voor de spiegel in de hal haar sjaal plooide, 'we moeten nu als de wiedeweerga gaan. Hebben we alles?'

Ze was zeventig op het moment dat ze in de hal in de spiegel keek, ze had al haar gevoelens altijd met de grootst mogelijke terughoudendheid voor zichzelf gehouden en ze stond daar gespiegeld, het teken van de traditie in diamantvorm om haar hals. Ik kreeg de indruk dat ze mij daar niet zo goed bij kon gebruiken.

Wellicht was dat de reden dat ik me, terwijl we ons met grote snelheid voortbewogen in de jadekleurige, nooit haperende BMW, voelde als een op de wastafel achtergelaten, vroeger zeer geurend stukje zeep, dat door de twee gelieven voorin de auto nooit meer met één gedachte vereerd zou worden. Mijn kater van de vorige nacht meldde zich ter hoogte van Mönchengladbach en werd pas moe van zijn krolsheid toen ik in slaap viel in hotel Grünewald, aan de Augustinerstrasse te Würzburg, slechts enkele honderden meters van Elses altijd sproeiende douche verwijderd.

Hoe de twee gelieven op leeftijd het restant van een goudstuk op hun achterbank probeerden te negeren, wordt mij duidelijk als ik met behulp van de arme Pfiffikus de flarden van hun gesprekken tijdens de laatste regenachtige tocht over de Duitse autobanen reconstrueer. De arme Pfiffikus zelf was allang al zijn veren kwijtgeraakt in de snijwind die over Duitsland had gewoed, maar zijn krachtig repetitief vogelbrein had de kunst van het reproduceren van taal via mijn moeders onverhoedse verhaspelingen van gezegdes en uitdrukkingen doorgegeven aan mij, als ik bedenk met hoeveel

precisie ik me de dialogen herinner die in de jadekleurige BMW op de voorste twee plaatsen werden gevoerd.
Wat weet je van de twee die je hebben voortgebracht
eigenlijk meer dan de flarden van gesprekken die de
arme Pfiffikus opving en weergaf?

Omdat het huwelijk van mijn ouders nooit het stadi-
um van evenwicht had bereikt dat beide partijen beur-
telings de kans gaf de wijste te zijn, was elk incident
dat het dagelijks leven doorbrak voor hen een bron van
nerveuze opwinding, van een onrust waar ze met volle
teugen van genoten omdat hun gekibbel en geharrewar
hun op dat soort momenten de verzekering gaf dat hun
gedeelde levens nooit voorbij zouden gaan, dat er geen
tijd bestond, dat ze niet ouder zouden worden dan die
keer dat ze, tijdens een reisje naar de watervallen van
Co, ieder aan één kant van de Skoda Cabriolet in de
berm van de snelweg, de linnen kap over de carrosserie
probeerden te trekken waaronder wij ons met vliegenierskapjes en stofbrilletjes op aan elkaar vastklampten
om niet te worden weggeblazen door de tot storm aan-
wakkerende wind. Tijd bestond niet als je je er niet bij
neerlegde.

'Hoe kun je nou de appels niet in het mandje hebben
gedaan?' vroeg mijn moeder in de auto.

'Ik dacht dat die voor thuis waren,' antwoordde mijn
vader.

'Ik heb nooit appels in huis. Sinds wanneer heb ik nu
appels in huis?'

'Daarom heb ik ze juist uit het mandje gehaald,' zei
mijn vader.

'Hoe moet je nu aan je energie komen? Appels zijn
juist voor energie onderweg.'

'Ik heb energie genoeg zonder appels, ik ben niet dol
op appels,' zei mijn vader.

'Daarom heb ik ze nooit in huis. Jij eet ze toch niet.'

'Eet jij dan die appels, dat is goed voor je,' zei mijn vader.

'Hoe moet ik nu appels eten die thuis op de keukentafel liggen? Nu krijg je straks een energietekort,' besloot mijn moeder en ze begon om zich heen te woelen, op zoek naar wegenkaarten, of blokjes druivensuiker, of tissues, of Duitse marken, intussen mijn vader attenderend op een rechts passerende Volkswagen Golf.

Klokke twaalf was het voor het eerst dat ze zich de aanwezigheid van een passagier op de achterbank herinnerden. Mijn moeder stak me een broodje toe en draaide zich vol naar me om.

'Eet wat. Je hebt de hele ochtend nog geen hap gegeten. Joseph, zeg dat kind dat het wat eet. Eet dan een stukje koek. Ik word nog gek van dat kind.'

Ze richtte haar aandacht weer op het verkeer, niet in het minst uit het veld geslagen door de driftige ruitenwissers of het waterballet buiten onze beslagen gevangenis.

'Zorg dat je voor die vrachtwagen komt,' zei ze, of: 'Jij hebt voorrang, toe nou, jij hebt voorrang,' of: 'Wat idioot om hier een stoplicht neer te zetten,' en mijn vader hield met een welgemoed 'brokkenmaker' of 'toeteren baat niet, freule' zijn voet op het gaspedaal, allebei gelukkig met de tegenspraak en de aansporingen van de ander, en ik loste achterin langzaam op in het niets.

Anderhalf jaar later, hartje zomer, zouden mijn ouders dezelfde reis nog een keer maken en zou mijn moeder, eenmaal thuis, erover klagen dat ze de begrafenis van Else zo kaal hadden gehouden, het was een schande voor God en Van Damme, zei ze, zo kaal. Geen hoeden, geen veren, geen bloemen. Voor één keer moest ik haar gelijk geven. Else was een vrouw van overdaad geweest.

Op de laatste verjaardag die ze zou vieren waren

tachtig gasten, voor elk jaar een, geschaard langs tafels in carré, met een open zijde voor het personeel dat een diner van vijf gangen moest kunnen opdienen. Else troonde aan de hoofdtafel, geflankeerd door een zeer oude zuster en een oude broer, die zich meer om het gebodene op hun bord bekommerden dan om de jarige, alleen maar niet eenzaam. Ze zat er als een veldmaarschalk die behagen schept in zijn troepen, het haar dat zo lang zwart was geweest als een witte stralenkrans om haar Julius Caesar-gezicht, haar prominente aanwezigheid stralend van triomf om alles waarover God haar had laten zegevieren.

De meest intelligente neef van een jongere generatie hield een toespraak waarin hij de tachtig jaar Duitse geschiedenis en wereldgeschiedenis waarvan Else getuige was geweest kritisch onder de loep nam met de inleidende woorden: 'We kunnen Bismarck in zijn tombe laten.' Ik had een ereplaats in de buurt van Else toegewezen gekregen, tegenover mij mijn moeder, alsof we elkaar maar niet kwijt konden raken, naast mij mijn fictieve schoonmoeder, mevrouw Schnettlage. Ik glunderde naar Else en Else glunderde terug en ik overdacht hoe zeldzaam vitaal Else zich in haar pokdalige eeuw had geweerd, hoe gelukkig ik was om haar 'goudstuk' te zijn en hoe Maria Blumenträger, mijn moeders en Elses grootmoeder, tegen de tijd van Elses geboorte alle veren en linten definitief de deur uit had gedaan, met de feilloze intuïtie dat uitbundige veren op een hoed een tijdperk uitluidden dat al voorbij was voordat de draagsters van de hoeden het beseften.

'Je moet altijd oppassen als je kinderen allemaal schrijver zijn,' zei mijn moeder na de speech tegen mijn onbestaande schoonmoeder, mevrouw Schnettlage, 'ze verdraaien de waarheid, ze verzinnen van alles.'

Ik liet de opmerking passeren, ik kende het liedje

van mijn moeder, die achter alles wat ik schreef de waarheid vermoedde die zij nooit te pakken zou krijgen, zoveel raadselachtige liedjes had ze al haar hele leven voor mij gezongen zonder ook maar te vermoeden dat haar zingen de grondtoon was voor alles wat ik zou schrijven.

Ik kan en wil, het laatste misschien het meeste, me niet aan de indruk onttrekken die mijn herinnering heeft achtergelaten over de afloop van het feest. Met open ogen zie ik hoe Else zich losmaakt van de feestgangers die afscheid van haar willen nemen, zich door de drom van vertrekkende gasten een weg baant naar de plaats waar ik met mijn ouders en nog enkele familieleden sta te praten, mij beetpakt met beide handen om mijn oren, mij vol op de mond kust en zegt: 'Du Goldstück,' ze noemde mijn naam, 'du Goldstück, ich liebe dich.' Er was een erfenis overgedragen, een verbond bezegeld.

Soms, als hij zijn vleugels om welke reden dan ook even vergeet, danst de tijd met zulke grote voeten de tango dat zijn voetstappen diepere kraters slaan dan de wind van zijn wiekslag.

Anderhalf jaar na haar tachtigste verjaardag stierf Else een niet betreurenswaardige dood, tijdens een nachtelijke gang van bed naar wc. Een achternichtje, dat vooral als boodschapster dienstdeed, bevestigde mij dat de dood aangetroffen Else mijn gouden kruisje had gedragen.

'Die geschiedenis met het kruisje' is een van de weinige vertelsels in deze kroniek die niet uit de tweede of derde hand komen, maar regelrecht van mij stammen, als aanstichtster én notulist.

In een brief waarin ik Else bedankte voor het feestelijke diner dat ze voor vrienden en familieleden had aangericht, had ik me de wens laten ontvallen dat zij, Else, mijn grootmoeder was, in het ongemakkelijke besef dat zo'n wens onuitvoerbaar was, alleen al omdat Else en mijn moeder maar tien jaar scheelden. Niettemin schuilde in mij mijn oude verlangen naar een oma zoals die waarom Willie huilde. Men verzint zoiets niet, men schrijft het op, plakt er een postzegel op en gooit het zonder nadenken op de bus.

Drie maanden voor haar dood schreef Else mij een brief terug vol kogelgaten en granaatinslagen, omdat haar typemachine de laatste hamerslagen van de eeuw beproefde en het papier door het lint heen bezweek onder haar niet te veronachtzamen aanslag. Geen enkel raadsel in de familie werd door de brief opgelost, er werd weer eens een andere gang van het labyrint ingeslagen, maar de laatste raad was helder: ik moest als schrijver een licht hart dragen. Een licht hart dragen, hoe doe je dat?

Ik gaf de boodschappen doende achternicht in een Willie-achtige opwelling het gouden kruisje mee dat mijn moeder me had gegeven op mijn eenentwintigste verjaardag en dat ik nooit droeg omdat ik 'niet van sieraden hield'. Niet van sieraden, wel van traditie.

Toen de arme Pfiffikus een voor een zijn asgrijze veren verloor en tenslotte ophield met zijn eeuwige gepraat, was er geen mens die de krakende stem miste.

Mijn overgrootmoeder Maria Blumenträger raapte zuchtend en steunend de veren op, hield ze tussen duim en wijsvinger op afstand, keurde ze niet waard om er hoeden mee te tooien en deponeerde ze op de mesthoop. Ze was achtenzestig jaar, nog lang niet zo krom als haar schoonzoon haar vijftig jaar later zou beschrijven en, alleen gebleven met Carl en de arme Pfiffikus, vond ze het leven niet meer erg de moeite waard.

Haar dochters vierden feest in Berlijn, Frankfort, Aschaffenburg of Würzburg en ze bracht niet het geduld op plezier te beleven aan de grijs-rode vogel, waar haar Carl zijn geschiedenislessen aan sleet. Soms ging ze te voet naar de markt in Alzenau, een hoogst enkele keer kwam een van haar dochters langs om haar te vertellen wat er zich in Duitsland allemaal afspeelde, maar elk jaar zei haar met meer kracht dat ze bezig was oud te worden op het platteland, als een van de vele somber geklede weduwes die Duitsland er niet vrolijker op maakten. In haar omgeving droeg niemand meer hoeden met veren en hier en daar een vogeltje, was geen enkele bedrijvigheid van paard en wagen, van rollende vaten bier over de keien en scharen jonge meisjes die haar gehoorzaamden. Alleen het gebeier van de klokken was overal hetzelfde, of ze nu over de rode huizen van Aschaffenburg of over de korenvelden van Wasserloos luidden.

De klokken verkondigden al zo lang de leer dat ze bij Carl moest blijven in plaats van een zelfstandig bedrijf op te zetten. Overigens was de hele hoedenindustrie ingestort, geen droog brood was er meer in te verdienen, Carl en zij mochten blij zijn dat ze rond konden komen van de verkoop van het varken, geruild voor het huis met de veertien heiligen, al hakte ze in gedachten op gezette tijden van een van de heiligen het hoofd af als het geld weer eens op was. Ze zou het wel uitzingen, ze had tenslotte vier flinke dochters.

Ze was van Michelau in het Steigerwald naar Wasserloos getrokken om dichter bij drie van de vier te zijn en betrok met Carl haar grootouderlijk huis, waar de soldaten van Napoleon op weg naar Rusland nog langs waren gekomen. Ze had ook in Wasserloos haar eigen geheim, dat uit de Weinberg bestond. De Weinberg was het domein van het slot Wasserloos, een uit rode steen opgetrokken heerlijkheid aan de voet van een van de laatste bergen van de Spessart, daar waar de uitstulpingen van de aarde abrupt ophouden met ademen en diep uitblazen over de Mainvlakte. In de laatste vier jaren van haar leven ging ze in lente, zomer en herfst de wijnberg op, te voet, genietend van de kleuren van de jaargetijden, van de geuren van bloesem en koren en rot.

Bovenop de berg was op mooie zondagen een koepeltje open, waar thee en Frankenwijn werd geserveerd. Ze zat daar totdat de zon begon onder te gaan en de Main als een zilverkleurig hoedenlint begon te glanzen. Over het dal was het uitzicht indrukwekkend. Het blauw stoomde uit de dennenbossen over de vlakte, de steden stonden rokend aan de oever van de rivier, alles ging voorbij en was in één blik te overzien, Lina in de zuidelijke stad, Bettina in de grote stad vlak onder handbereik en Elvira in Aschaffenburg. Rosa lag buiten haar gezichtsveld. Wat onder Maria Blumenträgers oogbereik lag, was haar gebied. Drie van haar vier dochters hadden naar hun opvoeding gehandeld en een zwart schaap telde elke familie. Als ze eenmaal bovenop de berg was verzoende ze zich met haar armer geworden bestaan. Ze was bij Carl gebleven, ze had het nooit ophoudende gezwets van de arme Pfiffikus aangehoord, ze had van Schlomo Nussbaumer geleerd overal het hare van te denken, en ze vroeg niet meer dan drie keer per jaar het land te mogen overzien. Ze vroeg over het algemeen aan niemand meer iets.

Maria Blumenträger stierf twee dagen voor Kerstmis, op precies dezelfde dag als die waarop haar dochter Bettina zeventien jaar later dood zou gaan. De zielsbedroefde Carl wist niets beters te doen dan zijn vier dochters op de begrafenis ieder een jonge vogel te beloven, met veren in een kleur die ze zelf mochten uitkiezen, want hun moeder, ach hun sterke, eigenzinnige moeder had altijd zoveel om veren gegeven.

'Linten en veren,' zei Carl Bory in zijn verdriet, 'heel Aschaffenburg was linten en veren.'

De enige die de belofte van haar vader serieus nam was Bettina, die in het volgende voorjaar een vogeltje ophaalde bij haar vader, een dingetje met een kloppend hart dat ze Pfiffi noemde, dat nog zes jaar in een kooitje mocht zingen, voordat het via het achterbalkon van de wagon de trein van Frankfort naar Nederland in werd getild.

'Vertel me nu eens precies wat je toen allemaal hebt meegenomen in die trein,' gebood ik mijn moeder omdat ik haar licht wilde bestraffen voor het feit dat ze haar verleden zo vastberaden op slot had gedaan.

'Niets,' zei mijn moeder terwijl ze gebaarde dat ik de drie dennennaalden in de hoek van de kamer moest oppakken die daar na Driekoningen verdwaald waren. 'Niets, dat heb ik je al zo vaak verteld. We moesten alles achterlaten.'

'Maar jullie namen wel wat mee,' zei ik streng, 'jullie zaten niet met lege handen in de trein, nietwaar?'

'God kind, dat weet ik niet meer,' zei mijn moeder, 'wat je zoal meeneemt.'

'De drie sprookjesboeken, *Vom Winde verweht*,' hielp ik haar op weg.

'Ja, die boeken. En wat kleren. God, niet veel,' zei ze alsof het allemaal te onbelangrijk was om er woorden aan vuil te maken, 'en het vogeltje.'

'Vogeltje?', ik veerde op, 'wil je me vertellen dat jullie bij alle hoogstnoodzakelijke dingen ook nog eens een vogeltje hebben meegenomen? Daar heb je me nooit iets van verteld.'

'Ja,' zei ze op de plotseling kortaffe manier waarmee

ze me duidelijk maakte dat ik me nergens mee te be-
moeien had, en zeker niet met haar verleden, 'een vogeltje. Wat is daar zo gek aan? We hadden een vogeltje.'

Daar was niets vreemds aan, de normaalste mensen
hielden vogeltjes en begonnen hun dag zingend van
plezier omdat het licht weer scheen, omdat er na het
schrapen van de keel met een schone lei kon worden
begonnen, omdat een lied het beste wapen was. Het
vreemde was dat ik meer dan een halve eeuw had moeten vragen en vissen en dat mij toch nog niets treffends
over mijn grootmoeder Bettina Bory ter ore was gekomen, behalve dat zij zich er op het moment van nood,
althans van achterlating van al het vertrouwde, niet toe
had beperkt zo'n zangmachientje van niks, zo'n breek-
baar geel vuistje van veren onder te brengen bij vrienden of familieleden, maar integendeel in de treincoupé
de kooi aan haar borst geklemd had gehouden. Zij was
niet vergeten op de kleintjes te letten.

'Waar is dat vogeltje dan gebleven?' vroeg ik, uit ba-
lans geslagen.

Nu vertoonde mijn moeder de gedaante waar ik
mijn hele leven voor had gebeefd. Zo snel dat ik het
niet eens opmerkte, stond ze achter haar stoel, tweeëntachtig jaar oud en met haar een meter zesenvijftig
hoog boven alles en iedereen uittorenend. Ze greep met
beide handen de rugleuning vast.

'Dat vogeltje is in quarantaine gestorven,' zei ze laag
en gevaarlijk.

Toen de veertig dagen van de quarantaine om waren
zonder dat Bettina Bory zich ook maar een dag had thuis
gevoeld in het land van immigratie, hoeveel moeite ze
ook deed niet alleen om te gaan met andere vluchtelingen uit het land van herkomst maar zich ook verstaanbaar te maken bij Nederlanders, wier taal ze nooit on-

der de knie zou krijgen, na de veertig dagen waarin ze had geprobeerd te wennen aan het verlies van een kosmopolitische wereldstad en de manier af te kijken hoe men slechts één koekje bij de thee presenteerde, waarin ze zich had voorgenomen geduld te hebben, jaren van geduld totdat het heimwee zichzelf zou hebben opgelost, nam ze de trein naar de grens.

Haar zoon en dochter waren naar school, waar ze zich als visjes in het water wisten te redden. Het joviale hart van haar man stond open voor zijn nieuwe collega's bij Philips, waar hij tot zijn grote vreugde een beste baan had gevonden. Zij had in ieder geval het vogeltje in het vooruitzicht. Haar vogeltje was waarschijnlijk niet zo'n lang en spraakzaam leven beschoren als de arme Pfiffikus, maar het had haar in Frankfort met zijn liedjes vele malen teruggevoerd naar de bossen van de Spessart waar ze eens, achter net zo'n vogeltje aan lopend, verdwaalde en teruggebracht werd naar de stoffenwinkel van Schlomo Nussbaumer. Een flard herinnering hier, een tipje van de sluier daar, elk lied kon het diertje fluiten. Wanneer de SA zingend door de straten marcheerde, had ze gauw een doek over de kooi gegooid om geen kwade dingen in het geniale, minuscule brein toe te laten.

Als het aan haar lag had ze het hele huis vol met kooitjes gehangen, overal bonte vleugels en zangstemmen, zoals het in tropische landen moest toegaan, of in het paradijs. Mijn grootvader leerde zichzelf, om haar van dat voornemen af te brengen, of misschien uit jaloezie, alle liedjes te fluiten die hij zich maar te binnen kon brengen, van 'Een karretje op de zandweg reed' via 'Warum ist es am Main so schön?' tot en met het menuet van Boccherini. Hij haalde het niet bij de eigenmachtige, ongeoorloofde variaties die Pfiffi er dwars doorheen floot. 's Morgens liet ze de doek over de kooi.

Als iedereen naar school of werk was, vulde het huis zich met triomfantelijk gezang.

Na veertig dagen van haar nieuwe bestaan stond ze opnieuw aan de grens en toonde haar papieren. De stationsbeambte behandelde haar vormelijk, bestudeerde de documenten met lichte argwaan, of er niet behalve een vogeltje ook diamanten zouden worden opgehaald, en liet haar een donkere ruimte binnen, waar hij een elektrisch peertje aanknipte. Het vogeltje was de enige gast in de quarantaineruimte. Ze liep op de vertrouwde kooi af en maakte de bekende lokgeluidjes. Dichterbij gekomen zag ze dat het gele vogeltje er niet meer was. In een hoek van de kooi zat, dicht tegen het voederbakje aangedrukt, een dik, grijs veren balletje dat niet op haar stemgeluid reageerde. De stationsbeambte stelde haar voor de kooi het daglicht in te dragen.

Op dat idee had hij eerder kunnen komen. Op het perron sprak mijn grootmoeder zelfverzonnen Duitse woordjes, die de beambte nog wantrouwiger maakten, tikte tegen de tralies, klakte met haar tong. Het vuilgrijze, vette monstertje keek haar met een oog van opzij aan, liet een schorre 'ti' horen en viel dood om.

'Die dingen zijn kwetsbaar, hè?' zei de beambte.

Mijn grootmoeder kon in de taal van de douanier geen woorden vinden om hem op zijn nummer te zetten. Zwijgend pakte ze de kooi op en nam met de dode ziel onder haar arm de eerste de beste trein naar huis.

Jarenlang heeft de standaard van de kooi in ons huis gestaan zonder dat er iets aan hing, geen kooi, geen jas, geen lamp. Hij stond in een hoek van de kamer, doelloos, en niemand van ons heeft zich ooit hardop afgevraagd of het was toegestaan het ding te gebruiken om er een honkbalhandschoen aan te hangen als je alleen maar even je dorst kwam lessen, of een indianentooi die je cadeau had gekregen, of een dennentak met rode linten erdoor gevlochten, of je eerste gefiguurzaagde Skoda Cabriolet.

Met families is het zo, je hebt open en gesloten families.

De eerste laten iedereen toe in hun domein, waar ze niets te verbergen hebben, ze zijn hartelijk en gastvrij, leggen hun diepste geheimen voor aan vrienden, die uit veiligheidsoverwegingen in de schoot der familie worden opgenomen. Soms hebben ze pijnlijke zaken te verwerken als een zwart schaap, of armoede, of een plotseling bankroet, een grootvader die zich niet altijd netjes heeft gedragen, of wederzijdse krenkingen. Maar alles belandt altijd even gastvrij in de geschiedenis die hen heeft gebaard, meestal op het moment dat een van de familieleden in het graf zinkt. Ze planten zich voort met dezelfde wanhopige opgewektheid als waarmee hun begrafenissen elkaar opvolgen, geen gen dat noemenswaardig afwijkt, geen ziekte die niet al in de voorouders is aangekondigd, of het moest zijn door toeval van buitenaf.

De gesloten families daarentegen stapelen zwijgend en eensgezind de hordes van hun bestaan in hun huizen op, bewaren ze zonder er veel naar om te kijken, hebben genoeg aan elkaar en beschouwen alles wat van buiten komt als vreemd aan de familie totdat het tegendeel bewezen is. Die families worden van buitenaf vaak beschouwd als clans met eigen codes, een eigen taalgebruik en een benijdenswaardig vertrouwen in niemand buiten de familie. Hun geheimen en onvermogens zijn bij elkaar in bewaring gegeven en bij begrafenissen willen ze zich nog wel eens opsplitsen in groepen die niets meer met elkaar te maken willen hebben, die op hun beurt weer even gesloten families opleveren et cetera.

En je hebt ons gezin.

De 'wij' van deze kleine geschiedenis vielen tot het elfde levensjaar van ieder van ons binnen de eerste categorie, zo blij waren we als we vrienden of vriendinnen mee naar huis namen, zo joyeus vertoonden onze ouders zich in baljurk en smoking, in oude auto's en avontuurlijke reizen aan de rest van de wereld, zo feestelijk en inventief werd elk probleem van emotionele of financiële aard opgelost en zo eensgezind waren we in ons lijden onder de goede bedoelingen van de volwassenen. De wind in ons haar had ons moeten waarschuwen.

Na het elfde jaar zwol bij ieder van ons de rode massa van de hersenen tot onbeheersbare proporties op, alsof we opnieuw maar nu met waterhoofden waren geboren, die wankel op onze breekbare nekken stonden en ontzet door dat onstuitbaar groeien bedachten we om beurten systemen die de woekeringen in toom moesten houden. Maar de systemen losten elkaar af en namen op hun beurt ongelofelijke proporties aan en raakten in de knoop en werden vijanden van andere systemen. Het was een wonder dat we ons uit die jungle nog een weg konden kappen naar de kust waar het schip lag dat zonder sextant zee koos, waar we ieder afzonderlijk, van tijd tot tijd tot vervelens toe opnieuw, van boord wilden springen. Buitenstaanders noemden dat gek of suïcidaal, maar wij hadden geen behoefte aan termen wanneer we alle zeilen bijzetten om niet ten onder te gaan op volle zee en we met vereende krachten Kaap de Goede Hoop rondden om, eenmaal in kalme wateren, de blaren van onze handen te likken.

Een waarom is voor dat alles niet te geven. En waarom zou er een waarom zijn?

Alleen mijn moeder weet het antwoord op de laatste vraag.

Elke zondag laat ze zich in de inmiddels achttien

jaar oude, jadekleurige BMW naar de kerk rijden door mijn vader, van wie wij allemaal vrezen dat hij op een dag lak zal hebben aan elk rood stoplicht op zijn weg en alleen nog maar zal denken aan de kortstondige, strategische doelen die hij zich heeft gesteld, zonder te letten op andermans rechten.

Mijn moeder klaagde dat ze met haar pijnlijke knieen de auto nauwelijks meer in of uit kon.

'Waarom doe je dat dan ook elke zondag?' vroeg ik korzelig aan de telefoon, 'je gelooft toch immers in niets anders dan dat we allemaal uit chemie bestaan?'

'Ja zeker,' zei ze, 'dat is ook zo. Ik heb geen geloof. Maar ik zal zolang mijn knieën het volhouden blijven bidden dat ik het krijg.'

Tegen zoveel trouw zou geen hemelpoort bestand zijn wilde ik mompelen, maar ik besefte dat ze alleen maar zou lachen om de metafoor, omdat ze zich een leven lang te weer had gesteld tegen de kracht van onze verbeelding en onze systemen, en een piepgeel vogeltje meer dan een halve eeuw in haar hand verborgen had weten te houden, dat weliswaar in het grenskantoor zijn laatste noot had laten horen, maar dat nog steeds zo nu en dan een veertje verloor in de lucht boven haar hoofd.